Kester Schlenz

ALTER SACK, WAS NUN?

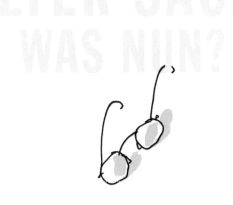

Das Überlebensbuch für Männer

MIT ILLUSTRATIONEN VON TIL METTE

Mosaik bei
GOLDMANN

Mix
Produktgruppe aus vorbildlich
bewirtschafteten Wäldern, kontrollierten
Herkünften und Recyclingholz oder -fasern
www.fsc.org Zert.-Nr. SGS-COC-004278
© 1996 Forest Stewardship Council

Verlagsgruppe Random House FSC-DEU-0100
Das für dieses Buch verwendete FSC-zertifizierte Papier
Profibulk von Sappi liefert Igepa.

6. Auflage
© 2009 Verlag Mosaik bei Goldmann, München,
in der Verlagsgruppe Random House GmbH
Umschlaggestaltung: Uno Werbeagentur, München
unter Verwendung einer Illustration von Til Mette
Layoutentwurf: Anja Laukemper
Satz: Barbara Rabus
Druck und Bindung: Těšínská tiskárna, a.s., Český Těšín
Kö · Herstellung: IH
Printed in the Czech Republic
ISBN 978-3-442-39169-1

www.mosaik-goldmann.de

Inhalt

Fünfzig?
Oh, Mann!

DIE MAGISCHE GRENZE

Hey, Alter. Cool bleiben. Fünfzig werden? Ist doch keine große Sache, Mann. Heutzutage. In den Zeiten der fröhlichen, fitten Alten. Da hat ein gesunder Kerl – statistisch gesehen – noch 25 gute Jahre vor sich. Also im Grunde ist das ja nur ein weiteres Lebensjahr. So wie wir nach 48 eben 49 Jahre alt werden. Ist doch eigentlich nichts anderes, fünfzig zu werden.

IST ES DOCH!

Etwas ganz, ganz anderes, ist das.

FÜNFZIG WERDEN IST SCHEISSE!

Fünfzig werden ist das Überschreiten einer magischen Grenze. Der endgültige Abschied von Jugend, Post-Jugend, Midlife, Frische und Fitness. Man fällt sogar aus der werberelevanten Zielgruppe der 14- bis 49-Jährigen. Niemand will einem mehr was verkaufen. Man

ist draußen. Von nun an geht's bergab. In Riesenschritten ins Rentenalter! Wampe kriegen. Falten. Die letzten Haare verlieren. Sex abgewöhnen. Rollstuhl. Breinahrung. Altersheim. Siechtum. Ich geb mir die Kugel!

Okay, eine Terz übertrieben.

ABER ES IST JA WAS WAHRES DRAN. WIR MÄNNER HABEN PROBLEME DAMIT, FÜNFZIG ZU WERDEN. DAS IST ZWAR NOCH NICHT ALT, ABER ES HÖRT SICH SCHON MAL ALT AN.

Und selbst, wenn wir das selber niedrig hängen und mehr oder weniger ignorieren wollen – dann lassen uns die anderen nicht. »Hey«, heißt es, »du nullst ja bald. Gib doch 'ne ordentliche Feier, was?« Wenn wir verneinen, heißt es sofort: »Also, nee ... da muss man was machen. Mann, Alter ... *fünfzig*!«

ES GIBT KEIN ENTKOMMEN!

Und selbst wenn wir unmissverständlich klarmachen, dass wir nicht feiern wollen und uns diesem ganzen »Runder-Geburtstags-Terror« nicht beugen wollen.

Selbst dann kriegen wir irgendwann mit, dass da Leute verschwörerisch tuscheln, sich heimlich treffen, Fotoalben plündern, irgendwas *vorbereiten*. Eine Zeitung, Lieder, Sketche, eine Überraschungsparty. Was auch immer.

ES GIBT KEIN ENTKOMMEN!

Nein, es gibt da offenbar vielmehr ein ungeschriebenes Gesetz. Und das lautet:

NIEMAND, DER FÜNFZIG WIRD, KANN SO TUN, ALS WÄRE NICHTS.

Man wird angequatscht, gefragt, wie man sich fühlt, ob man *Bilanz* gezogen hätte. Man wird gezwungen zu feiern, Gästelisten zu machen etc. – und muss deshalb dauernd daran denken, dass man »nullt«.
Und also denkt man dann darüber nach:
Zum Beispiel an früher.

Als wir Jugendliche waren und unsere Eltern fünfzig wurden, da kamen die uns doch vor wie Wesen aus einer anderen Welt. Der Welt der grauen Anzüge, öden Reden, Festschmäuse und Ehrennadeln in Silber. Fünfzigjährige waren gesetzte, ältere Herren mit Platte und Kegelclub. Und nun, nun sollen wir selber dazugehören?

ABER NEIN!

Eines können wir zu unserer Beruhigung schon mal feststellen. Vor dreißig, vierzig Jahren fünfzig zu werden war etwas ganz anderes als heute. Heute ist man mit fünfzig praktisch ja erst knapp raus aus der Postadoleszenz. Man ist jung geblieben. Im Kopf zumindest. Denkt man. Ist natürlich ein bisschen gelogen. Aber andererseits: Da ist ja auch was dran. Auch die Siebzigjährigen sind heute cooler und jünger als unsere Großeltern damals. Scheiß auf die werberelevante Zielgruppe.

WIR FÜNFZIGJÄHRIGEN SIND NOCH DA. LECKER WIE REIFE FRÜCHTE. UND MACHT NICHT AUCH ERFAHRUNG SEXY?

Kommt darauf an.
Denn wie so oft im Leben gibt es häufig eine Diskrepanz zwischen Selbst- und Fremdwahrnehmung. Das eine ist, wie wir uns fühlen,

was wir von uns erwarten, womit wir klarkommen müssen. Das andere ist, wie die anderen uns sehen. In diesem Spannungsfeld gibt es einige Dinge zu klären. Das wollen wir nun in den folgenden Kapiteln zusammen tun.

Ich bin quasi ein Modo!

FALTEN, HAMSTERBACKEN, DOPPELKINN, RETTUNGSRINGE – HILFE, ICH ALTERE

DER VERFALL IST NICHT ZU ÄNDERN.

Unter unseren Augen bilden sich gigantische Tränensäcke. Morgens müssen wir diese mit einer Schubkarre ins Bad fahren. Erst gegen Mittag bilden sie sich zurück. Falten, tief wie Schluchten auf La Palma, haben sich in unser Antlitz gegraben und lassen uns aussehen wie eine traurige, verkarstete Landschaft im Ural. Das, was einst Wangen waren, sind nun Hamsterbacken. Sie wabbeln, wenn wir den Kopf schütteln. Und unser Kinn, früher unteres Schlusslicht eines ausdrucksstarken Gesichtes, hat sich verlängert und bildet nun einen weichen, konturlosen, wabbligen Übergang zwischen Gesicht und ledrigem Hals. Unsere Haut neigt zum Grobporigen. Sie wird schlaff.

DAFÜR SCHWILLT DER BAUCH.
»DER DEUTSCHE RING« ZIERT DIE TAILLE.

Die Hoden ... okay – hören wir auf. Ich habe hier einen Hauch übertrieben. Aber irgendwo haben Sie sich schon angesprochen gefühlt,
oder? Die wenigsten von uns sind mit fünfzig noch knackig. Wir werden älter, und man sieht es. Damit muss man fertig werden. Über das
Abnehmen hat der Kollege Bartels im Kapitel »Das Bauch-Gefühl«
einiges zu erzählen. Aber es geht ja nicht nur um zu viel Gewicht. Der
Zahn der Zeit nagt überall an uns. Wir gehen auseinander, wir
erschlaffen, wir werden dröger, faltiger, knorpeliger und hässlicher.

ABER ZUM GLÜCK WERDEN WIR DAS ALLE.

Unterschiedlich ausgeprägt, aber es passiert. Sinnlos, zurückzubli-
cken, Bilder von früher anzustarren oder uns mit Dreißigjährigen zu
vergleichen. Benchmark ist der Durchschnitts-Fünfzigjährige. Sie sollten sich fragen: Wie sehen meine Kumpels aus? Wie deren Kumpels
und Kollegen im gleichen Alter? Sie werden sehen – sie sind meist
keine schönen Menschen mehr. Dann vergleichen Sie all diese Typen
mit sich selbst. Und wenn Sie feststellen: Ich sehe in jedem Fall teigi-
ger, grobporiger, dicker, ledriger, knorpeliger, trockener, wabbliger
aus als die anderen – dann können Sie hadern und über Gegenmaß-
nahmen nachdenken.

GEGENMASSNAHMEN?

Nun ja, wie gesagt, dass wir verfallen, ist nicht zu ändern. Aber man
kann diesen Verfall zumindest etwas hinauszögern. Je nach Aufwand
ist das äußerst wirksam. Männer aus unserer Generation haben
damit meist wenig Erfahrung. Kosmetik galt als schwul. Wellness war

was für Weicheier. Das ist Unsinn. Feuchtigkeitscremes für's Gesicht können Wunder wirken. Dreimal die Woche eine halbe Stunde joggen hält fit. Noch häufiger schafft man das ja nicht. Gehobene Mucki-Buden (Kieser etc.) sind auch

was Gutes, wenn man die Disziplin entwickelt. Sonst zu Hause ein paar Liegestütze einschieben und immer schön die Treppe und nicht den Fahrstuhl nehmen. Sagen alle Fitnesstrainer und Jackie Chan auch.

UND – JA – SELBST DER GANG ZUR KOSMETIKERIN SOLLTE KEIN TABU FÜR UNS GESETZTERE HERREN SEIN.

Die Damen dort sind aufgeschlossen, es ist überhaupt nicht peinlich, sie reinigen unsere alten Gesichter, feilen unsere Nägel, glätten unsere Haut und massieren unsere Kopfhaut. Herrlich!

MANCHER UNTER UNS SOLLTE RUHIG AUCH MAL ZUR FUSSPFLEGERIN GEHEN, HABE ICH MIR VON FRAUEN ERZÄHLEN LASSEN.

Der Zustand so manchen Männerfußes sei erbärmlich. Fuß könne man das oft nicht mehr nennen – hornige Extremität wäre treffender. Auch hier sind Berührungsängste im doppelten Sinne des Wortes überflüssig. Fußpfleger leben ja von eingewachsenen Nägeln, Hornhaut und rissigen Sohlen.

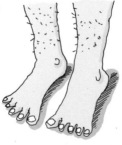

20

UNANGENEHM WIRD ES ERST, WENN DIE DAME NACH SICHTUNG DER MAUKEN »EINEN MOMENT« SAGT, IN DER WERKSTATT VERSCHWINDET UND MIT EINER FLEX ZURÜCKKEHRT.

ANSONSTEN: IMMER SCHÖN DRAN DENKEN, DIE NASEN- UND OHRHAARE ZU ENTFERNEN.

Die wachsen im Alter wie Gras und sehen wirklich doof aus! Ich habe einen Nasenhaarschneider. Das ist komisch, sich so ein brummendes Ding in den Zinken zu schieben. Aber es wirkt.

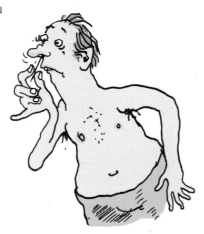

Restlaufzeit?

WIE VIELE UND WAS FÜR JAHRE

BLEIBEN MIR NOCH?

Jeder, der fünfzig wird, stellt sich irgendwann mal diese Frage. Verständlich, aber gänzlich für den Arsch, um es mal deutlich zu sagen.

Denn, wenn man sich zu oft, zu intensiv mit dieser Frage beschäftigt, muss man zwangsläufig schlecht drauf kommen. Mir als Zwangscharakter und neurotisches Nervenbündel ist das selbstverständlich passiert. Ich malte mir aus, dass es ab jetzt nur noch bergab gehen wird, sah mich schlurfend und sabbernd im Altenheim herumtapern und stellte mir vor, ich würde als Alzheimerpatient jeden Tag neue Leute kennenlernen – nämlich meine Familie. Es war grauenhaft. Man muss das lassen. Ganz konsequent verdrängen, so was. Ich versuche das jetzt auch. Geht irgendwie immer besser. Denn mir wurde sozusagen kürzlich der Kopf gewaschen.

»WIE WÄR'S ZUR ABWECHSLUNG MAL MIT EIN WENIG DANKBARKEIT«, SAGTE MIR ZU DIESEM PROBLEMFELD EIN GUTER FREUND, DER NOCH ÄLTER IST ALS ICH.

»Denk doch mal dran, was du alles schon erlebt hast. Du hast 'ne tolle Frau und zwei gesunde Söhne. Du bist – mal abgesehen von deiner grundsätzlichen Vollklatsche – gesund. Hast einen guten Job. Was willst du denn noch vom Leben?«

»Dass es immer so weitergeht«, sagte ich.

»Das wäre total ätzend«, antwortete er. »Stell dir vor, du und deine Lieben, ihr wäret unsterblich. Dann wäre alles irgendwie egal. Alles könnte man auch morgen noch machen. Der Augenblick, der glückliche Moment, wäre nichts mehr wert. Nur weil wir sterblich sind, und das immer bewusst oder unbewusst ›wissen‹, können wir die Dinge wirklich schätzen. Unsterblichkeit würde uns das alles nehmen.

ALSO MACH DEINEN FRIEDEN DAMIT, DASS DU EINES TAGES VON DIESER ERDE VERSCHWINDEN MUSST. IST EH NICHT GENUG PLATZ DA.«

Ich fand das etwas krass formuliert. Aber im Grunde hatte er ja Recht. Mir ging es gut. Klar, mir schien nicht jeden Tag die Sonne aus dem Arsch. Aber so insgesamt – was die echten »basics« betrifft, die wirklich wichtigen Dinge – war alles in Butter. Ich hoffe, dass es noch lange so weitergehen wird. Aber immer geht eben nicht. Alles ändert sich: meine Familie und meine Freunde, die Welt, und ich selbst ändere mich, und am Ende ist das ja auch okay so. Hauptsache, es ändert sich nicht immer nur zum Schlechten. Aber daran kann man ja (mit-)arbeiten.

Und dann gab mir mein alter Kumpel noch etwas auf den Weg: »Ich bin jetzt 57«, sagte er und goss sich einen Whisky ein. »Und glaub mir, in diesem Alter sieht man vieles so viel lockerer als mit fünfzig.

Man hat einiges hinter sich und hoffentlich noch einiges vor sich. Aber die Weisheit ist da. Vor allem, wenn es um Sachen geht, über die man sich früher geärgert hat.

WEISST DU, EINER DER UNTERSCHÄTZTEN VORTEILE DES ALTERS IST, DASS MAN SICH IN KRISENSITUATIONEN SOZUSAGEN INNERLICH ›UMDREHEN‹ UND ZURÜCK-SCHAUEN KANN. MAN KANN SICH FRAGEN: HEY, WIE OFT IN DEINEM LEBEN WARST DU SCHON IN EINER SOLCHEN ODER EINER ÄHNLICHEN SITUATION?

Was hast du damals gedacht und gemacht? Was hast du dir alles ausgemalt, und wie wichtig hast du das damals alles genommen? Und was war dann wirklich vier Wochen später los? War das alles wirklich so wichtig? Gab es Grund zur Aufregung? Musstest du gleich handeln? Sofort mit dem Holzhammer los auf die Baustelle?

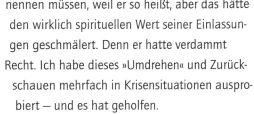

Oder hätte man das Ganze auch gelassener angehen können? War das alles wirklich ein so großes Problem?«
Ich nannte diesen, meinen älteren Kumpel, von diesem Tag an Dalai Lama. Eigentlich hätte ich ihn Horst Lama nennen müssen, weil er so heißt, aber das hätte den wirklich spirituellen Wert seiner Einlassungen geschmälert. Denn er hatte verdammt Recht. Ich habe dieses »Umdrehen« und Zurückschauen mehrfach in Krisensituationen ausprobiert – und es hat geholfen.

WEITERSAGEN!

»Du musst einfach mehr chillen«

ALS ALTER SACK ZUR RUHE KOMMEN

Also, wenn Sie total entspannt sind. Wenn Sie so was von zenmäßig im Hier und Jetzt schweben. Wenn Sie die Ruhe selbst sind: Dann müssen Sie dieses Kapitel nicht lesen.

Wenn Sie hingegen manchmal – oder sogar oft – eher unruhig sind. Wenn Sie häufig gereizt, unausgefüllt und reichlich genervt sind – dann, ja dann ist das hier was für Sie.

Auf mich treffen die letztgenannten Eigenschaften leider ab und an zu. Ich bin, wie wir hier im Norden sagen, oft »fickerig«. Klingt anzüglich, meint aber lediglich unruhig, hibbelig, nervös. Sagen wir es mal so: Ich bin nicht entspannt, verdammt noch mal.

Na ja, ist schon viel besser geworden mit den Jahren. Ich kann auch mal nix tun und nur so sitzen (siehe auch das Kapitel »Ich will hier nur so sitzen«). Aber oft bin ich nicht »gechillt«, wie meine Söhne sagen.

VIELE MÄNNER IN DEN BESTEN JAHREN SIND NICHT GECHILLT. WIR SOLLTEN DAS ÄNDERN. GECHILLT SEIN IST GESÜNDER UND MACHT ZUFRIEDENER.

Ich habe beim Versuch, ruhiger und ausgeglichener zu werden, beinahe alles ausprobiert, was es so an Entspannungstechniken gibt: autogenes Training, progressive Muskelentspannung, innere Gedanken-Reisen, Massagen, Hypnose, Meditation.

ICH HABE SOGAR MAL KURZ DARAN GEDACHT, MIR WIEDER DAS KIFFEN ANZUGEWÖHNEN. DAS, SO ERINNERE ICH MICH, HAT EINEN DAMALS ECHT VOLL RUHIG GEMACHT.

(Moment, ich will hier meinen Söhnen nur kurz was sagen: »Männer, euer Vater hat das früher mal probiert, aber ich habe nicht inhaliert.«)

Aber ich habe das dann gelassen. Muss man sich doch nur mal vorstellen: Ich schleiche in Hamburg über den Kiez und frage einen jungen Dealer, ob er »mal 'n Piece für'n Zwanni hat«. Ist doch absurd. Der Mann würde mich wahrscheinlich für einen etwas mickrigen Zivilfahnder halten und umgehend das Weite suchen.

OKAY, ALSO KEINE »TÜTEN« AUF MEINE ALTEN TAGE.

Aber was bringt es denn nun in Sachen Entspannung?, werden Sie sich nun fragen und vielleicht schon ein bisschen ärgerlich werden. Oder? Ich soll endlich aufhören zu labern und mal konkret werden?

Sie haben die Schnauze echt voll von langatmigen Einleitungen und so und wollen wissen, was zum Teufel einen denn nun »runter bringt«? Und das wollen Sie jetzt lesen, oder Sie hauen mir gleich voll was ...

Okay, Sie haben es wirklich nötig. Gehen wir mal die wichtigsten Sachen durch, die ich ausprobiert habe:

AUTOGENES TRAINING

Kurz gesagt, eine Form der Selbstsuggestion. Durch das ständige
Wiederholen von stumm gesprochenen Sätzen werden nacheinander
Schwere, Wärme im Körper – vor allem in Armen und Beinen –, eine
Beruhigung des Pulses und der Atmung usw. erreicht. Die Übungen
beginnen etwa mit dem Satz »Mein linker Arm ist schwer«. Man geht
dann den Körper durch, macht verschiedene Übungen, und tatsächlich: In einer Gruppe mit einem guten Lehrer (der dann die Sätze laut
sagt) ist das ungemein entspannend und funktioniert gut. Zu Hause
allein lief das bei mir nicht so rund. Aus meiner Sicht ist das auto-
gene Training eine schwer zu erlernende Methode. Wenn man zur
Ungeduld neigt, nerven die aufeinander aufbauenden Übungen
leicht, weil man eine gewisse Disziplin braucht, um den erwünschten
Effekt zu erreichen.

Mein Fazit: **eine gute, aber nicht einfache Methode, vor
allem für das Mitmachen in einer Gruppe geeignet.**

PROGRESSIVE MUSKELENTSPANNUNG

Der Entspannungseffekt entsteht hier durch das gezielte Anspannen
und anschließende Lockerlassen von verschiedenen Muskelgruppen
des Körpers. Verblüffend einfach und dabei sehr wirkungsvoll. Der
Renner in Volkshochschulen und in der Verhaltenstherapie. Man
spürt schnell den gewünschten Effekt. Aber auch hier gilt: in der
Gruppe, wenn ein Lehrer Anweisungen gibt, ist alles prima. Zu Hause
braucht man ebenfalls eine Menge Geduld, und es ist gar nicht so

einfach, vom linken Arm bis zum großen Zeh nacheinander alles anzuspannen und locker zu lassen. Da verliert man schon mal den Faden und schweift in Gedanken ab.

Mein Fazit: **Anfangs schnell zu erlernen, aber über einen bestimmten Anfänger-Status kam ich nicht hinaus. Auch mehr was für Gruppen.**

MASSAGEN

Muss ich wohl nicht erklären. Mich entspannt das ungemein. Großartig sind vor allem Fußreflexzonen-Massagen. Das chillt total. Wird aber gar nicht so oft angeboten und muss von einem Profi gemacht werden.»Killert« auch nicht! Auch die traditionelle thailändische Ganzkörpermassage ist ein Knaller. Moment, ich rede nicht vom erotischen Kneten im Bangkok-Puff. Das, was ich meine, ist was ganz Seriöses und wird in Fitness-Centern und Beauty-Spas empfohlen. Bei dieser Massage werden Arme und Beine dezent gezogen, massiert, gedehnt, der Rücken sanft bearbeitet, man wird gedreht und gewendet, es tut gar nicht weh und ist total super. Ich habe die mal im »Nivea-Haus«, einem Wellness-Tempel mitten in Hamburgs feinster Einkaufsmeile, ausprobiert. Und wie gesagt: Es geht nicht darum, sich von einer unbekleideten, jungen Asiatin einölen und auswuchten zu lassen. Ich behielt ein T-Shirt und eine Jogging-Hose an, und die Masseurin war eine zupackende, sympathische junge Frau, diplomierte Masseurin und Badetherapeutin mit unzähligen Zusatzausbildungen. Sie führte mich in einen behaglichen Raum. Das Licht wurde gedimmt. Leise, fernöstliche Musik tröpfelte aus verborgenen

Lautsprechern. Ich legte mich auf eine Matte, und die Dame begann, mit kundigen, magischen Händen an mir zu ziehen und zu drücken. Füße, Beine, Arme. Kopf. Es war wunderbar. Total entspannend. Ich lag auf der Matte und genoss. Keine Spur von Schmerz oder Unwohlsein. Ich kann die seriöse thailändische Ganzkörpermassage in unseren Breiten ohne Einschränkung empfehlen – man darf sich lediglich an der fernöstlichen Entspannungsmusik nicht stören.

Aber egal, ob Sie die oder eine andere Form des Knetens machen lassen: Suchen Sie unbedingt nach Entspannungs- und Wohlfühlmassagen. Medizinische Massagen durch kräftiges Personal können auch wehtun und haben, wie der Name schon sagt, vor allem eine medizinisch-therapeutische Funktion.

Mein Fazit: **Massagen entspannen sehr. Aber sie sind sozusagen nur der schnelle Kick. Nachhaltig ist das eher nicht.**

HYPNOSE

Hab ich mal versucht. Ging bei mir nicht. Aber mir fällt in diesem Zusammenhang ein großartiger Kalauer ein: Neuer Trend: »Durch Rauchen Hypnose abgewöhnen.«

INNERE REISEN UND VISUALISIERUNGEN

Dabei versetzt man sich unter Anleitung an wunderschöne Orte, relaxed geistig am Meer, stellt sich vor, man sei ein Adler, der in warmen Aufwinden kreist oder ein Clownsfisch in einem pittoresken Riff.

Eine andere Variante ist, dass man seinen eigenen Körper bereist und wirklich wahrnimmt.

Kommt alles gut, geht aber aus meiner Sicht nur unter Anleitung.

MEDITATION

Davon hat jeder eine Vorstellung, oder? Man sieht sofort Folgendes vor sich: einen Menschen im Lotussitz, Daumen und Zeigefinger beider Hände berühren sich, die Augen sind geschlossen, das Gesicht entspannt. Im Hintergrund dudelt meditative Musik, ein Zimmerbrunnen plätschert, eine Kerze brennt. Herrlich, oder?

Eines gleich vorweg. Ich finde Meditation klasse, bin zwar noch ein Anfänger, habe aber gute Anfangserfahrungen.

MAN MUSS WEDER BUDDHIST NOCH CHRISTLICHER MYSTIKER SEIN, UM ZU MEDITIEREN UND KANN GETROST ALLE VORURTEILE IN BEZUG AUF DIESE METHODE KNICKEN.

Vorausgesetzt, man gerät an die richtigen Kurse/Lehrer. Das muss man in Ruhe checken und einiges einfach mal antesten. Man merkt eigentlich sehr schnell, ob man »in guten Händen« ist.

Ich habe in einem buddhistischen Zentrum in Hamburg mit der Meditation angefangen, in einem Anfängerkurs. Der Kursleiter, eine freundlicher Herr um die fünfzig, begrüßte uns, bat jeden, sich eine Matte und eine Decke zu nehmen, und dann sollten wir uns hinlegen. Er fing mit einfachen Entspannungsübungen an, machte gedankliche Reisen durch den Körper, und dann hieß es: langsam in den Schneidersitz begeben und die Augen schließen. Die eigentliche Meditation begann mit einfachen Atemübungen.

EIN, AUS, EIN, AUS. ES IST FASZINIEREND, WIE SEHR ALLEIN SCHON DIESES SIMPLE BEWUSSTE ATMEN ENTSPANNEN KANN.

Ich will hier nicht zu sehr ins Detail gehen, aber im Grunde geht es in der Meditation vor allem darum, den ewigen Fluss der Gedanken auszuschalten, einfach nicht zu denken, sondern nur zu sein. Hört sich vielleicht blöd an, ist aber genau das, worum es geht.

NICHT DENKEN! RUNTER KOMMEN. EINMAL HABE ICH ES TATSÄCHLICH GESCHAFFT. ICH HABE NICHT GESCHLAFEN, ABER ICH HABE AN NICHTS GEDACHT, WAR EINFACH NUR DA. WAR EIN SUPER GEFÜHL. WILL ICH WIEDER HABEN.

Wie gesagt, bisher habe ich das in dieser Klarheit nicht mehr geschafft. Aber es geht schon ganz gut, mich auf meinen Atem oder ein Mantra zu konzentrieren. Und allein das ist schon ziemlich entspannend. Nach der (versuchten) Meditation fühlt man sich ziemlich gut.

Im letzten Urlaub auf La Palma habe ich dann jeden Morgen versucht zu meditieren, bin vor den anderen aufgestanden, saß ungestört auf einem Stuhl in der Morgensonne und habe mit geschlossenen Augen vor mich hin geatmet. Den Gedankenfluss konnte ich nicht oder nur selten abschalten. War aber trotzdem super. Ich bin bestens gelaunt an den Frühstückstisch geschlendert.

***Mein Fazit:* Meditation ist klasse. Ideal für den genervten alten Sack. Einfach ist sie beileibe nicht. Aber man kann ohne große Vorbereitung anfangen, und irgendwann läuft es dann schon.**

Die große Hafenrundfahrt

DIE ERSTE VORSORGEUNTERSUCHUNG

Tja, nun ist es so weit. Man muss da mal nachgucken lassen. Unten rum. Ist so mit fünfzig. Ist besser. Man kann ja nie wissen. Für Frauen ist der Gang zum Frauenarzt ja selbstverständlich. Männer aber haben einen Mörder-Horror vor dem Urologen. Ich auch. Aber da ich ein Hypochonder bin, habe ich das schon mit vierzig erstmals hinter mich gebracht. Und ich kann sagen: Männer — ist gar nicht so schlimm. Echt jetzt.

Okay, schön ist es nicht. Gebe ich zu. Um es mal deutlich zu sagen: Wer hat schon Lust, den Zeigefinger eines anderen Mannes tief in seinem Hintern zu spüren? Na, außer man ist ... Aber darauf will ich hier jetzt mal nicht weiter eingehen. Das ist ein völlig anders gelagerter Fall.

DER HETEROSEXUELLE DURCHSCHNITTSMANN SIEHT DER SOGENANNTEN »GROSSEN HAFENRUNDFAHRT« MIT EINIGEM ENTSETZEN ENTGEGEN.

Hierbei führt der Arzt einen mit einer Art Präser geschützten, einge-
cremten Finger in den Anus, um die Prostata abzutasten. Schon
beim Schreiben dieser Zeilen zieht sich bei mir wieder alles zusammen. Verdammt! Dabei habe ich doch gerade erzählt, dass ich das
schon ein paar Mal hinter mich gebracht habe.

**ABER SO IST DAS EBEN. DAS »UNTEN RUM« BEI
MÄNNERN – EIN GANZ, GANZ SENSIBLES GELÄNDE.**

Dabei dauert die Sache keine zehn Sekunden, ist unangenehm, tut
aber nicht weh und ist im Grunde ein Lacher. Ehe man sich's ver-
sieht, ist die Sache vorbei, der Finger wieder draußen und alles in
Butter. Und wegen so einer kleinen Fingerübung hat man sich jetzt
in die Hosen gemacht. Aber Mann ist da halt empfindlich.

**WIR SIND ES EBEN NICHT GEWOHNT, VOR EINEM
ANDEREN MANN DIE HOSEN HERUNTERZULASSEN
UND IHM UNSEREN NACKTEN HINTERN ZUM EINFÜHREN
EINES FINGERS DARZUBIETEN.**

Aber mal ehrlich, Leute: Auch der Zahnarztbesuch hat etwas Entwür-
digendes. Vor allem, wenn der Doktor einem Fragen stellt, die man
mit weit aufgerissenem Mund voller Instrumente nur guttural grunzend beantworten kann.
Aber zurück zum Urologen. Der Rest der Vorsorgeuntersuchung ist
dann eher harmlos. Ein paar Fragen, eine Urinprobe, die gleich unter-
sucht wird, ein beherzter Griff an die Hoden seitens des Arztes, um
zu sehen, ob die »Klüten« in Ordnung sind – und das war's dann

auch schon, falls — was wir hoffen wollen — es keine Auffälligkeiten gibt.

Zu Hause müssen Sie dann noch einen Test auf »okkultes Blut im Stuhl« durchführen. Das ist eine Darmkrebsvorsorge, die nicht sichtbares Blut in den Exkrementen anzeigen soll. Das ist ein bisschen mühsam, aber harmlos. Drei Tage vor und die Tage während des dreitägigen Testes dürfen Sie kein blutiges oder rohes Fleisch essen, um kein falsch-positives Ergebnis zu bekommen. Tja, und dann müssen Sie morgens nach dem Toilettengang mit einem kleinen Papp-Spatel von verschiedenen Stellen Ihres Stuhlganges Proben nehmen und auf ein Test-Briefchen schmieren.

KLINGT IRGENDWIE EKLIG. IST ES AUCH.
ABER ES GIBT SCHLIMMERES.

Am Ende bringen Sie das zugekotete Briefchen dann zum Arzt, und der schickt es ins Labor oder testet es gleich in der Praxis. Wenn alles gut ist, wissen Sie, dass es zumindest keine Hinweise auf einen akuten Krebs gibt.

Ein Wort aber noch zu einer weiteren Untersuchung, die viele Urologen empfehlen, dem sogenannten »PSA-Test«. Hier wird ein Wert ermittelt, der — falls erhöht — Hinweise auf eine vorhandene oder entstehende Krebserkrankung geben kann. Wie gesagt »kann«. Die Erhebung des PSA-Wertes ist nicht unumstritten. Kritiker sprechen von zweifelhaften, schwammigen Befunden, die häufig unnötige Folgeuntersuchungen nach sich ziehen würden und viele Ängste bei den betreffenden Männer erzeugten.

WENN SIE, WIE ICH, ZUR HYSTERIE NEIGEN, SOLLTEN SIE MEINER MEINUNG NACH AUF DIESE PSA-SACHE VERZICHTEN.

Wenn mir ein Arzt sagen würde: »Na ja, der Wert ist so an der Grenze. Da muss nix sein, aber da *könnte* was sein. Lassen Sie uns in sechs Monaten noch mal gucken.« Tja, also diese sechs Monate könnte man in meinem Fall abhaken. Ich würde vor Angst kein Auge mehr zutun. Am Ende muss das jeder selber wissen. Informieren Sie sich über Nutzen und Schaden der PSA-Wert-Erhebung. Kann ja sein, dass Sie damit ganz locker umgehen können.

Ein kleiner Nachtrag zu urologischen Untersuchungen. Lustig ist es, wenn Sie, weil irgendwas zwackt oder sich kein Nachwuchs einstellt, eine Sperma-Probe abgeben müssen. Da sind ja schon viele Witze drüber gemacht worden. Und in der Tat gibt es kaum etwas Absonderlicheres, als sich in einer kleinen Kammer in einen Plastikbecher zu entladen, den man dann mehr oder weniger verschämt einer Sprechstundenhilfe übergibt. Falls Sie das mal machen müssen, denken Sie immer daran:

FÜR DIE MÄDELS IST DAS KEINE GROSSE SACHE. DIE SCHICKEN DIE BECHER JEDEN TAG INS LABOR – UND IHNEN IST ES VÖLLIG EGAL, WELCHE KÖRPERFLÜSSIGKEIT DA GERADE REINGEJODELT WURDE.

Hauptsache genug, damit das Labor nicht motzt. Also, reißen Sie sich zusammen und füllen Sie ab, was verlangt wird.

Ein guter Witz für alte Säcke

Kommt 'ne Frau vom Arzt.

Sagt der Mann: »Und – alles klar?«

»Ja«, sagt die Frau.

»Und was hat der Doktor zu deinem Rücken gesagt?«

»Alles wieder gut.«

»Und was hat der Doktor zu deinem Knie gesagt?«

»Auch alles in Butter.«

»Und was hat der Doktor zu deiner Hautgeschichte gesagt?«

»Alles gut verheilt. Wie bei einer jungen Frau.«

»Ach, ja? Und was hat der Doktor zu deinem Arsch gesagt?«

»Ach, über dich haben wir gar nicht geredet.«

Wenn »die Alten« peinlich werden

ERWACHSENE KINDER – EINE HERAUS-FORDERUNG DER BESONDEREN ART

ES IST NICHT LEICHT, ABER MAN MUSS DAS AUSHALTEN.

Dass die eigenen Kinder einen scheiße finden. Nicht nur und auch nicht dauernd. Aber immer wieder. Besonders im Kontext Öffentlichkeit – oder spezieller – bei »Begegnungen, wenn Freunde dabei sind«.

DA KANN MAN NICHT GEWINNEN.

Ist man unterhaltsam, wird einem Anbiederei vorgeworfen. Ist man lustig, gilt man als peinlich. Ist man staatsmännisch oder gibt gar irgendwelche Ratschläge, gilt man in den Augen der Kids als Spießer. Eigentlich sollte man nur stumm nicken und das Portmonnaie öffnen. Oder irgendwen irgendwohin fahren, ohne Zicken zu machen. Für mich als begeisterten Vater war das eine harte Sache. Diese Entwicklung fiel in etwa mit meinem Fünfzigsten zusammen.

UND DAS IST JA WOHL FÜR DIE MEISTEN VON UNS ALTEN SÄCKEN IN DIESEM ALTER SO. MAN KOMMT IN DIE KRISE, UND DANN FANGEN AUCH NOCH DIE KINDER AN ZU PUBERTIEREN.

Eine schwere Zeit, in der die vergötterten Kids seltsam werden, motzen, Stimmungsschwankungen haben, sich abgrenzen, dichtmachen, Kotzbrocken werden. Sie wollen ihre Ruhe haben, chillen, abhängen und Probleme lieber mit Gleichaltrigen oder gar nicht besprechen. Alte Säcke sind vorerst abgemeldet. Und – auch wenn's hart ist: Das muss halt so sein. Gehört dazu. Geliebt wird man später wieder. Klar muss man sich nicht alles bieten lassen. Die Fast-Erwachsenen wollen ja sogar den Widerspruch, den Ärger, um sich zu definieren, eigene Positionen zu entwickeln und dann gemeinsam mit ihren Kumpels auf die nervenden Eltern schimpfen. Es hat keinen Sinn, zu autoritär zu sein.

UND ES HAT ERST RECHT KEINEN SINN, DER »BESTE FREUND« SEINER KINDER SEIN ZU WOLLEN.

Sie wollen nicht mit uns auf Rock-Konzerte oder sich besaufen. Sie wollen auch kein Verständnis für Grenzüberschreitungen (»Boa, ey, so eine große Tüte habt ihr euch reingezogen und seid dann total stoned mit dem Auto durch den Nachbarsgarten gebrettert. Krasse Sache, das – der Papa ist stolz auf euch.«)
Tun Sie das bloß nicht. Ich habe mir sagen lassen, dass Kinder bzw. Jugendliche sogar wollen, dass man Sie kritisiert oder Protest einlegt – erst dann fühlen Sie sich ernst genommen. Wenn alles

irgendwie egal ist, und man immer nur Verständnis hat, leben die Kids wie in einer großen Wellness-Gummizelle. Sie rennen gegen die Wand, um Grenzen zu spüren – und dann ist alles weich und nix passiert. Ja, ich weiß – hört sich nett an, was ich hier rate, ist aber extrem schwer durchzusetzen. Man muss halt stets das rechte Maß zwischen Verständnis und Autorität finden. Am wichtigsten aber ist – nach meiner Erfahrung – egal, wie sehr man sich fetzt: immer gesprächsbereit bleiben, den Kids immer klarmachen: Wenn du uns brauchst, sind wir da!

TJA, UND DANN GIBT ES JA NOCH EINE WEITERE SACHE, WENN DIE KINDER ERWACHSEN WERDEN: MAN HAT PLÖTZLICH WIEDER ZEIT.

Zeit für die Ehe, für Hobbys, na, eben für all die Sachen, von denen man immer sagt, dass man sie gern machen würde, aber leider keine Zeit dafür habe. Also: Die Zeit haben Sie jetzt. Früher, wenn ich nach der Arbeit nach Hause kam, gab es ein großes Hallo. Unsere Jungs rannten mir entgegen, ich musste spielen, vorlesen, toben, Höhlen bauen, all diese großartigen Sachen. Heute gibt es – wenn die beiden überhaupt zu Hause sind – ein kurzes kumpelhaftes »Hallo, Alter«, und das war's dann auch im Prinzip. Meine Frau und ich freuen uns schon, wenn wir noch alle zusammen essen, uns mal unterhalten oder zusammen abends was im Fernsehen gucken. Wir Eltern haben deshalb wieder angefangen, unsere Wochenenden und Abende ohne die Teilnahme der Kinder zu planen und zu organisieren.

UND DAS KANN ICH NUR JEDEM ALTEN SACK RATEN: ENTDECKEN SIE DIE PAARBEZIEHUNG NEU.

Verbringen Sie Zeit mit jemandem, der Sie kennt und – trotz aller Schrullen – mag. Also, meine Frau und ich, wir gehen wieder vermehrt zu zweit ins Kino, ins Theater, und neulich haben wir zusammen am Wochenende eine Fahrradtour gemacht. War super, obwohl mir der Arsch wehtat: Nur wir beide, das Ehepaar in den besten Jahren, zusammen am Elbe-Lübeck-Kanal unterwegs. Wir sind dann am Nachmittag in ein Campingplatzlokal auf eine Erdbeertorte eingekehrt. Da waren alle Leute tätowiert und schon total braun, obwohl es erst Anfang Mai war. Erst war uns unbehaglich zumute, aber die waren alle total nett.

NUR WEIL EINER EIN ARSCHGEWEIH ODER EIN PIERCING IN DER BRUSTWARZE HAT, MUSS ER JA NOCH KEIN IDIOT SEIN.

Wir gehen da aber trotzdem nicht wieder hin, denn die Erdbeertorte war mit Tonnen von Gelatine und gefrorenen Früchten gefertigt, und der Kaffe schmeckte wie Affenurin. Wenn die Kuchenstücke auch groß wie Pizzahälften waren. Na ja, wir sind aber auch Nörgler!

»Sei unser Glutsbruder«

GRILLEN MIT THEORETISCHEM

UNTERBAU – DIE LÖSUNG FÜR

KOCHLEGASTHENIKER

Der reife Mann von heute sollte Essen zubereiten können. Das wird erwartet auf dem gesellschaftlichen Parkett. Kochen ist der nicht enden wollende Megatrend unserer Tage. Sätze wie »Setzt euch schon mal und trinkt einen Prosecco – Frank beizt gerade noch in der Küche«, sind heute selbstverständlich, wenn man Gäste geladen hat. Kochen ist ein Muss! Wenn Sie nun dazu überhaupt keine Lust haben, aber irgendwie auch nicht außen vor sein wollen, dann spezialisieren Sie sich. Brechen Sie die Essenssache auf das Archaische herunter. Werden Sie der *Grillmaster*. Was, das können Sie schon? Ich soll Ihnen mal nix erzählen über optimales Wurstgaren und Ablöschen mit Bier? Klar, jeder Mann grillt. Das wird nur nicht ausreichend gewürdigt. Hier muss eine neue Wertedebatte her. Sie brauchen einen theoretischen Unterbau.

WIE SEHR KÖNNTEN SIE PUNKTEN, WENN SIE DAS GRILLEN, IHRE LUKULLISCHE KERNKOMPETENZ, AUCH MIT EINEM INTELLEKTUELLEN THEORIEGEBÄUDE QUASI ÜBERHÖHEN UND RHETORISCH BRILLANT RÜBERBRINGEN KÖNNEN?

Das geht so: Ein lauer Sommerabend. Wenn Sie auf der Terrasse oder dem Balkon stehen und am Grill hantieren, wird garantiert eine der anwesenden Frauen gütig lächelnd zu einer anderen sagen: »Nein, diese Männer. Warum haben sie nur so einen ungeheuren Spaß daran zu grillen?« Halten Sie dann inne. Unterbrechen Sie mit großer Geste Ihre Vorbereitungen, wie das Erhitzen oder Befächeln der Kohle, und sagen Sie mit fester Stimme. »Luise und Gerlinde. Ich will es euch erklären. Ich musste erst fünfzig Jahre alt werden, um es in aller Klarheit zu begreifen: Es geht nicht um Spaß. Die Antwort ist: Wir müssen grillen. Etwas zwingt uns. Wir können nicht anders. Es ist ein Trieb. Sigmund Freud hat die menschliche Seele ja als Haus beschrieben.

DER MÄNNLICHE GRILLTRIEB SITZT IM KELLER, IM ›ES‹, DORT, WO ES DUNKEL, LÜSTERN, HAARIG UND WILD IST.

Gleich neben dem Sexualtrieb und dem Hang zum Heimwerken.

SOBALD ES DRAUSSEN WÄRMER WIRD, ERWACHT SIE, DIE FEURIGE LUST.

Wir werden unruhig, zerbröseln fahrig Holzkohle zwischen den Fingern, schnüffeln an der Flasche mit dem Brandbeschleuniger, sehen

blutigen Fleischsaft vor unserem inneren Auge. Und wie die Frösche und Schwanzlurche, die ab März in der Dämmerung tapfer zu ihren Laichplätzen wandern, treten wir heraus auf die Terrassen und Balkone, säubern die Grills und freuen uns darauf, alle möglichen Sorten rohen Fleisches eigenhändig auf einer offenen Feuerstelle zu garen. Das war schon immer so. Der Satz: ›Ich kümmere mich um das Fleisch, Schatz. Mach du den Rest‹, wird in unseren Breiten auch schon vor 30 000 Jahren in irgendeinem indogermanischen Dialekt vor einer Wohnhöhle gefallen sein.«

Luise und Gerlinde werden fasziniert sein. Andere Frauen und Männer werden hinzukommen und Ihnen lauschen. Und falls dann ein Schlauberger sagt: Dieser Mann faselt, der Witz sei doch gerade, dass Männer früher gejagt haben, und das Fleisch dann den Frauen zur Zubereitung brachten. Insofern sei das Grillen als Zubereitungsform also im Grunde eine typisch weibliche Aufgabe, die die Männer den Frauen entrissen haben. Wenn das also jemand einwirft, dann entgegnen Sie kühl und überlegen: »Mitnichten! Erst einmal spricht schlichte Empirie dagegen: Frauen verspüren keinerlei Drang zum Grillen. Zwar essen sie gern draußen und lassen für sich grillen. Selbst jedoch treten sie nur äußerst ungern ans offene Feuer, um Muskelgewebe etc. zu garen und Rauch einzuatmen. Außerdem kann der heutige Mann in den modernen Industriegesellschaften selbst kein Wild mehr erlegen, sofern er nicht Jäger oder ein rücksichtsloser Autofahrer ist. Also hat zwangsläufig eine Verschiebung stattgefunden.

DER TRIEB SUCHT SICH ANDERE WEGE.
DER GANG ZUM SCHLACHTER ERSETZT DIE JAGD.

Der Mann tritt entschlossen an die Fleischtheke, deutet auf Pute, Rind oder Schwein und grunzt: ›Einpacken!‹ Und: Er kauft zu viel. Immer. Schließlich will er, wie seine Vorfahren, die Sippe als großartiger Versorger beeindrucken.

Es gibt so etwas auch im Tierreich. Einen Vogel, der protzt. Der Raubwürger piekst in der Balz Unmengen von Insekten auf Dornen oder spitze Äste, um seiner potenziellen Partnerin zu zeigen, was er für ein klasse Typ ist. Wer die meiste Beute ›ausstellt‹, vögelt als Erster. Der menschliche Raubwürger kauft zu viele Würstchen.

UND SCHLUSSENDLICH IST JA AUCH DAS GRILLEN SELBST EINE AUFGABE, DIE DEN GANZEN MANN FORDERT.

Allein das offene Feuer. Und das Knistern der rotglühenden Kohle. Die Hitze! Der weiße Aschebelag, der dem Kenner signalisiert: Es kann losgehen!

JEDER MANN IST AUCH PYROMANE.

Schon als Kind zündelt er, spielt mit Kerzen, verbrennt sich die Finger und erlernt so spielerisch die Grundbegriffe des Grillens, wie etwa ›Beachte den richtigen Abstand zwischen Fleisch und Flamme‹. Ja, ihr Lieben, es macht einen Riesenspaß, Holzkohle in einen Behälter zu schütten, eine entflammbare Flüssigkeit darüberzugießen, dann das Ganze abzufackeln, um schließlich mit anderen Männern darüber zu fachsimpeln, ob die ›Kohle jetzt schon so weit ist‹.«

DIE ANDEREN MÄNNER WERDEN NICKEN.

Und dann am Schluss ziehen Sie das Ganze dann nochmal poetisch hoch: »So hört: Schon am nächsten Wochenende, wenn am Abend von irgendwoher der Duft frisch entfachter Holzkohle herüberweht, spüren wir ihn wieder, den uralten Ruf unserer Vorfahren. Der tapferen Jäger in den endlosen Savannen und dunklen Wäldern. Sie raunen uns zu: Kommt, Männer, seid wie wir. Ergreift das Fleisch, entfacht das Feuer. Möge die Gattin Mozzarella auf Tomaten anrichten und das Brot brechen. Du aber, Mann, wirst Teil der großen Grillgemeinschaft sein. Du bist einer von uns. Im Bund der Feuermänner. Sei unser Glutsbruder!

SO WAR ES, UND SO WIRD ES IMMERDAR SEIN. DIE KOHLE SEI MIT DIR!«

Applaus, Schulterklopfen, Frau stolz. So wird das Grillen zum Triumph! Und niemand fragt mehr, warum Sie kein dreigängiges Menü können.

Viagra
oder »Du, ich könnt schon wieder!«

SEX IN DEN BESTEN JAHREN

Eines schon mal vorweg: Man muss das Thema Sex mit über fünfzig vor allem mit Humor nehmen. Das hilft schon mal. Probleme gibt's in diesem Zusammenhang ja nun wirklich genug. Also: Die einen können nicht mehr so wie früher. Das kann unter gewissen Umständen durchaus eine Erleichterung sein. Ständig als reifer Mann rollig wie ein 18-Jähriger zu sein, ist ja auch nicht schön. Dazu kommen wir gleich.

ERST EINMAL EIN OFFENES WORT UNTER MÄNNERN. WENN DIE FLÖTE LAHMT, NICHT GLEICH VERZAGEN.

Erstens geht es vielen so (bis zu einem Drittel aller über Fünzigjährigen klagt über Potenzstörungen, der Testosteronspiegel sinkt nun einmal, und man wird halt insgesamt nicht jünger. Man kann ja auch beim Sport nicht mehr locker mit Zwanzigjährigen mithalten oder mal eben einen Marathon mitlaufen – warum also sollte es im Bett nicht auch ein wenig gemächlicher zugehen. Doch wenn fast gar nichts mehr läuft und Mann drunter leidet – nicht verzagen.

DER UROLOGE BZW. ANDROLOGE (MÄNNERARZT) WEISS RAT. KEINE FALSCHE SCHEU – DIE LEBEN VON DEN ÄLTEREN JUNGS MIT TOTER HOSE.

Erektionsstörungen haben viele Ursachen. Das kann und sollte alles in Ruhe abgeklärt werden, bevor man sich vor lauter Peinlichkeitsgefühlen kurzerhand selber zu helfen versucht. Viagra soll Wunder wirken, ist aber zu Recht verschreibungspflichtig. Man sollte das nicht »schwarz« kaufen. Deshalb ist der Gang zum Doc unabdingbar, bevor man sich die blauen Pillen reinpfeift. Übrigens: Diese lustigen Spam-Mails, die man dauernd bekommt und in denen für Mittel für »brett-harte Penisse und Hammer-Erektionen« werben, sollte man getrost vergessen. Das Motto für uns Best-Ager sollte lauten:

NICHTS SCHLUCKEN, WAS NICHT VOM DOC GECHECKT IST.

Kommen wir zu den anderen Herren, die keine Probleme »unten rum« haben und immer noch oft »wollen« und auch können. Reden wir erst einmal über die wohl größte Gruppe: nämlich die Männer, die in einer festen Beziehung leben. Und das schon lange. Und unterstellen wir mal, dass diese Beziehung auch ganz okay ist. Dann bleibt es natürlich trotzdem nicht aus, dass der Sex über die ganzen Jahre ein bisschen an Thrill verliert, um es mal vorsichtig zu sagen.

Man kennt sich lange, das Ganze hat sich — wenn es gut läuft — einigermaßen eingespielt und findet auch noch mehr oder weniger regelmäßig statt.

ABER LANGWEILIGER WIRD'S IRGENDWIE SCHON, ODER?

Auf beiden Seiten. Und die Frequenz nimmt mit den Jahren auch immer mehr ab, nicht wahr? Ist halt so. Ich habe da natürlich auch kein für alle wirksames Gegenmittel. Darüber sind schließlich schon eine Unmenge schlauer oder weniger schlauer Bücher geschrieben worden. Aber ehe man ganz mit dem Sex aufhört, sollte man sich ein paar einfache Tipps von Experten in Erinnerung rufen. Der Killer in jeder Beziehung ist ja das ewig Gleiche. Also, meine Herren, machen Sie mal was anderes. Verführen Sie Ihre Frau, signalisieren Sie Ihre Lust mal nicht auf die immer gleiche Weise (»Du, Mutti, ich könnt schon wieder« oder »Frieda — ich hab hart«).

DAS MOTTO HEISST ABWECHSLUNG.

Das kann sich natürlich auch auf Orte, Kleidung oder Zeiten beziehen. Da sind der Fantasie keine Grenzen gesetzt — außer denen, die man sich gemeinsam selber setzt. Und es kann auch sicher nicht schaden, wenn Mann und Frau beide versuchen, für den anderen attraktiv zu bleiben.

ÄLTERE TYPEN, UNRASIERT IM JOGGINGANZUG ZU HAUSE HABEN WENIG VON GEORGE CLOONEY.

So smart wie der muss man ja nicht gleich sein, aber es hilft schon, sich ab und an vernünftig anzuziehen, sich einigermaßen fit zu halten und nett und aufmerksam zu sein.

DAS GILT NATÜRLICH AUCH FÜR DIE FRAUEN. WIR MÄNNER WOLLEN EINE PARTNERIN, NICHT MUTTI.

Manchmal ist das alles nicht so leicht. Es fällt den meisten schon schwer, über so etwas überhaupt zu reden. Aber sexuelle Zufriedenheit ist eine ziemlich wichtige Sache, und da sollte man schon mal über seinen Schatten springen, wenn es dann danach im Bett besser läuft. Also, ran an den ... äh ... Speck.

Kommen wir jetzt zu den alten Säcken unter uns, die entweder keine funktionierende Beziehung haben oder Single sind. Hier wird es schwierig. Der ältere Herr kommt dann noch seltener zum Sex als er möchte. Mancher geht ins Bordell. Ich habe hier keine Erfahrungen vorzuweisen. Die Vorstellung, ich ginge dort hinein und müsste dann einer wildfremden Frau in einem mehr oder weniger gebrauchten Zimmer sagen, was ich gern hätte, treibt mir die Schamesröte ins Gesicht. Auch wenn ich bedenke, was die Dame dabei wohl fühlen mag. Und selbst wenn sich der eine oder andere denken mag: okay, ist eine Dienstleistung, gibt auch andere blöde Jobs – dann wende ich ein: Man selber mag sich ja für einen netten, sauberen Kerl halten. Aber vor einem waren ja auch *andere* da. Ich will hier nicht falsch verstanden werden, das sind meine persönlichen Empfindungen. Ich will keinesfalls den Moralapostel spielen und auch keinen Ärger mit den sogenannten »Hurenverbänden« kriegen. Die sagen zu meinen Einlassungen vielleicht: »Moment, Bursche: Wer unten rum Bedürfnisse hat, soll ruhig vorbeikommen. Ist schließlich unser Business. Danke für Ihr Verständnis, aber dafür können wir uns nix kaufen.« Nun ja, muss also jeder selber wissen.

UND DIE PERFEKTE LÖSUNG FÜR DEN GEILEN GREIS?

Hab ich auch nicht. Mein Freund B. kalauert in diesem Zusammenhang immer: »Sind die Frauen auch noch so lieb – Handbetrieb bleibt Handbetrieb.« Keine Sache, derer man sich schämen müsste. Urologen raten, regelmäßig Hand an sich zu legen – das sei gut für die Prostata. Na, sehen Sie!

»NOGGER DIR EINEN!«

Harley oder Porsche?

VIELE VON UNS ALTEN SÄCKEN WERDEN MIT ZUNEHMENDEM ALTER IN DEN AUGEN ANDERER SONDERBAR.

Die verstehen nicht, was in unseren Köpfen vor sich geht. Sie wissen nicht, dass wir eine Art zweite Pubertät durchmachen, wenn wir die fünfzig erreichen. Ich möchte es »Fifty-Tät« nennen. Diese hat auch mit Hormonen und einem Umbau des Körpers zu tun – und sie führt ebenso wie die Pubertät zu seltsamen Handlungen. Pubertierende werden motzig, verschließen sich und kriegen Pickel.

WIR OLDIES KRIEGEN BÄUCHE, FALTEN, WERDEN KINDISCH UND KAUFEN UNS KOMISCHE SACHEN.

Ferngesteuerte Flugzeuge zum Beispiel. Teure Modelleisenbahnen. Die legendären Gitarren, die auch unsere Rockgötter spielten. Oder aber: grausamstes aller Klischees – einen Porsche oder eine Harley. Klischees aber haben ja immer einen wahren Kern.

Männer Mitte 40 und älter. Männer wie wir. Klar: Nicht jeder von uns kann sich so was leisten. Aber wenn alle von uns es könnten – ich bin sicher, dass das die Umsätze von Porsche und Harley noch mehr beflügeln würde.

Tja, und was heißt das jetzt? Müssen sich alle Harley- und Porschefahrer schämen? Mitnichten.

WOLLEN WIR DIE SACHE DOCH MAL ENTSPANNT BETRACHTEN.

Ein Porsche ist ein kleines, geiles, schnelles Kult-Auto – das man schon früher als kleiner Junge toll fand. Und eine Harley ist ein nostalgisch angehauchtes, klassisches Motorrad, das an Easy Rider, Rocker und die wilden Zeiten der Hippies erinnert. Durchaus ein Kult-Ofen, also. Beides, Porsche wie Harley, konnte man sich als junger Mensch nicht kaufen. Und als  junger Erwachsener auch noch nicht, bzw. man kaufte für das vorhandene (oder geliehene) Geld stattdessen einen Passat-Kombi oder einen sicheren Volvo mit guten Kindersitzen. Und so soll das ja auch sein. Und dann

wird man fünfzig, verdient vielleicht ganz gut, die Kinder sind immer selbstständiger, vielleicht sogar schon aus dem Haus. Und man denkt: Hey, was gibt mir jetzt noch einen Kick? Was wollte ich eigentlich immer schon mal haben? Und dann kauft man sich halt so Sachen. Und das kann durchaus auch ein Porsche oder eine Harley sein. Ich würde das nicht machen, weil beides nicht zu mir passt. Ich habe keinen Motorradführerschein, und schnell Auto fahre ich ungern. Aber um meine persönlichen Vorlieben und Eignungen geht es hier auch gar nicht.

ES GEHT UM TOLERANZ UND DARUM, DINGE TUN ZU DÜRFEN, DIE DEM EINEN ODER ANDEREN AUCH SELTSAM ERSCHEINEN MÖGEN.

Meine Güte, wer sich einen abfreut, wenn er in einem alten Porsche durch die Gegend brettert, oder wer gern in Bombenlaune mit sechs anderen Oldies in schwarzer Lederkluft auf Harleys durch die Gegend tuckert — kann er doch. Ist doch seine Sache! Menschen tun so viel sinnloses Zeug — da ist das Fahren von Sportwagen und amerikanischen Motorrädern sicher noch eine der harmlosesten Varianten.

LASST REIFERE MÄNNER VERRÜCKTE DINGE TUN.

Lasst sie mit ferngesteuerten Flugzeugen und teuren Modelleisenbahnen spielen — sonst sitzen sie nur rum und haben schlechte Laune. Ach, und noch was. Immer wieder hört man im Zusammenhang mit Sportwagen, Motorrädern usw. Frauen lästern, hier handele es sich sozusagen um eine »Schwanzverlängerung« oder einen »Penisersatz«. Derlei Bemerkungen zu machen greift sehr um sich und muss hier mal gegeißelt werden. Man wird als Mann dauernd mit solchen »Analysen« konfrontiert — auch in ganz anderen Zusammenhängen. Man interessiert sich für Raumfahrt — klar: Raketen gleich Phallussymbole. Es geht also eigentlich nur darum, sein Glied symbolisch in den Raum zu schießen. Also: Vorsicht beim beherzten Griff zur Banane. Finger weg vom *Verlängerungs*kabel. Obacht beim Gartengießen mit dem Schlauch — alles steht unter »Penis-Verdacht«.

UM MAL EINES KLARZUSTELLEN. WIR MÄNNER NEHMEN UNSERE PENISSE SCHON SEHR ERNST, UND DAS, WAS SICH MIT IHNEN MACHEN LÄSST, SPIELT IN UNSEREM LEBEN EINE ZIEMLICH GROSSE ROLLE. ABER WIR KÖNNEN AUCH AN WAS ANDERES DENKEN.

Ein schnelles Auto zu fahren mag ein zweifelhaftes Vergnügen sein, aber es hat wenig mit Pimmeln zu tun. Und wenn wir uns – etwa im Büro – mit anderen Männern streiten, dann ist es nicht nötig, dass eine ebenfalls anwesende »taffe« junge Dame im Businesskostüm mit den Augen rollt und genervt stöhnt: »Ihr immer mit euren Schwanzvergleichen.« Es kann nämlich durchaus sein, dass wir uns um der Sache willen streiten und das mit einem Vergleich von Hodensack und Glied nix zu tun hat. Überhaupt haben die meisten von uns im gesetzteren Alter ein eher entspanntes Verhältnis zu unseren Penissen, und es kümmert uns wenig, wenn Horst oder Bernie unten rum besser ausgestattet sind. Na ja, vielleicht denken wir unter der Dusche nach dem Sport »Mann, der Hotte hat vielleicht eine Riesengurke«. Aber das war's dann auch schon. Deshalb öffnen wir diese dauernden Spam-Mails auch nie, in denen uns ein »Penis-Enlargement« angeboten wird. Ich kenne niemanden, der sich einer solchen entwürdigenden und blutigen Prozedur unterziehen würde. Außer Horst vielleicht. Der hat das, glaube ich, mal gemacht.

SO EIN DING HAT MAN VON NATUR AUS NICHT. DAS KANN EINFACH NICHT SEIN. DER HAT DA WAS MACHEN LASSEN.

In diesem Zusammenhang fällt mir spontan der Filmklassiker »Der Mann, den sie Pferd nannten«, ein. Hotte, der Hengst. Nicht, dass mich das neidisch macht oder so. Aber das darf man ja mal feststellen, dass das nicht mit rechten Dingen zugehen kann. Da ist massiv ausgepolstert und gezogen worden. Doch. Ganz sicher. Horst hat was machen lassen.

Urlaub – aber richtig

Also, wir planen ja jetzt verschärft unseren Winterurlaub. Er muss nämlich den verkorksten Sommerurlaub wieder ausgleichen. Der war nicht ganz so der Bringer. Wir sind nicht schwierig, wirklich nicht. Aber man ist ja nicht mehr zwanzig, es muss schon ein bisschen stimmen im Urlaub, damit man sich wohlfühlt, finden Sie nicht auch? Ich will mal schnell einige wenige »basics« zusammenfassen.

Also, ob nun Sommer- oder Winterferien – es sollten schon mal nicht zu viele Touristen da sein. Der Urlaubsort sollte mehr so eine Art Geheimtipp sein. Am liebsten wohnen wir unter Einheimischen, irgendwie ursprünglich. Aber man muss sich schon verständigen können. Zumindest auf Englisch.

UND DIE EINHEIMISCHEN SOLLTEN NICHT – WIE LETZTEN SOMMER – MÜRRISCH SEIN.

Na ja, und es ist schon gut, wenn für die Kinder auch Spielkameraden aus Deutschland verfügbar sind. Also darf das Quartier nicht zu abgelegen sein.

DER EINE ODER ANDERE DEUTSCHE, DER SO DRAUF IST WIE WIR, MÜSSTE DA AUCH HINFAHREN KÖNNEN. ABER EBEN NUR NETTE LEUTE.

Und eine gewisse touristische Infrastruktur muss schon sein. Aber eben nicht ballermannmäßig. Irgendwas dazwischen. Gute Restaurants und Supermärkte sind natürlich ein Muss. Solange sie weit genug vom Ferienhaus weg sind und verständliche Speisekarten haben. Ah, ja – Ferienhäuser. Wir nehmen ja nur Ferienhäuser. Ich hasse es, morgens in Apartments bräsig auf die Terrasse zu treten und direkt in das bräsige Gesicht eines Nachbarn zu starren. Die Ferienhäuser sollten stilvoll und preiswert sein und etwas abseits und naturnah liegen, aber man muss morgens Brötchen holen können. Schön ist es auch, wenn man mal was unternehmen kann, in Richtung Kultur und so. Aber nix mit Schlange stehen und Riesenparkplätzen, wo alle hinkommen.

EHER WAS ZUM ENTDECKEN. WO MAN ABER GUT HINKOMMT.

Was aber nicht in jedem Reiseführer steht, sondern nur in unserem. Im Winterurlaub dürfen die Skipisten natürlich nicht zu voll, aber auch nicht zu weit weg sein. Natürlich sollte man auch noch mehr als Wintersport machen können. Zum Beispiel ins Kino oder Theater gehen, ohne gleich über den Brenner zu müssen.

Im Sommer ist Strandnähe selbstredend ein absolutes Muss. So bis zu vierhundert Meter darf er weg sein. Sonst nervt es, immer mittags zur Siesta erst mit dem ganzen Strandzeugs durch die Gegend zu latschen.

UND DER RICHTIGE STRAND MUSS ES NATÜRLICH SEIN.

Groß und breit – aber nicht so breit wie auf Amrum, wo man ja ein Taxi nehmen muss, um zum Wasser zu kommen. Feiner Sand ist wichtig, vor allem im Uferbereich am Übergang ins Wasser dürfen keine Steine sein. Aber, da wo man liegt, sind kleine, runde Kieselsteine besser, sonst hat man ja ständig Sand im ... na, Sie wissen schon. Das Meer muss warm sein, aber nicht pipiwarm. Das Wasser bitte glasklar, und Quallen und so was gehen gar nicht.

WELLEN SIND GUT, ABER BITTE NICHT ZU HOCH UND NICHT DAUERND.

Animation und so'n Mist sind am Strand natürlich tabu, wobei Strandkörbe schon praktisch sind. Man will ja mittags auch mal schnell 'n Snack essen. Imbissbuden sind also okay, solange man sie nicht sieht oder gar riecht. Und kostenlose und natürlich saubere Toiletten müssen in der Nähe, aber ebenfalls dezent platziert sein. Das geht doch nicht, dass erwachsene Menschen irgendwo ins Unterholz strökeln müssen. Und Bootsverleih ist gut, aber nur für Boote ohne Motor. Mücken sind verboten. Und Vogelgezwitscher am Morgen auch. Und Schwarzbrot muss es geben. Und die *Süddeutsche*. Und außerdem müssen im Winterurlaub im Skigebiet kleinere Wettkämpfe durchgeführt werden, damit ich zu Hause beim Erzählen meinen phonetisch zweideutigen Lieblingskalauer bringen kann, der da lautet: »Die Zuschauer standen an den Hängen und Pisten.«

DAS IST DOCH ALLES NICHT ZU VIEL VERLANGT, ODER? IN MEINEM ALTER ...

Was man bis fünfzig
alles geschafft haben sollte

BAUM KAUFEN

HAUS ANGUCKEN

KINDER VERZIEHEN

VOM DREIER SPRINGEN
(ODER KÖPPER VOM EINER)

LUFTGITARRE SPIELEN
(ZU AC/DC)

EINEN HAB ICH NOCH...
KOMMT 'NE NONNE...

DREI GUTE VERSAUTE WITZE KENNEN

EINMAL IRGENDWEM AUF DIE SCHNAUZE HAUEN (ODER WENIGSTENS DAMIT DROHEN)

DRAUSSEN SEX HABEN (VON MIR AUS AUCH DRINNEN)

GEGEN GELADENEN KUHDRAHT PINKELN (ODER WENIGSTENS ANFASSEN)

ARSCHBOMBE MACHEN

HASCHEN

DEM CHEF MAL DIE MEINUNG SAGEN (»ICH MEINE, SIE HABEN RECHT, CHEF!«)

KOKSEN (WENN OFEN ZU HAUSE)

TROCKENSPRUNG IM FRÜHSOMMER

DIE FRAU BETRÜGEN (BEIM MAU MAU)

REITEN OHNE SATTEL (PONYHOF)

LEDERJACKE ANPROBIEREN

DIE NACHBARIN VERFÜHREN (ZU NOCH EINEM GLAS WEIN)

WEIN ZURÜCK GEHEN LASSEN (»KORKIG, DAS, HERR OBER!«)

NACKT RUMLAUFEN (IM BADEZIMMER)

SEGELN (OPTIMIST MIT SKIPPER)

Flexibel bleiben — aber nicht um jeden Preis

ÜBER TOILETTENGÄNGE

Kürzlich haben sehr gute Freunde von uns von ihrem letzten, sehr ungewöhnlichen Urlaub erzählt. Das Ehepaar fuhr nämlich mit einem Kanu zu zweit, mit zwei Hunden und Gepäck auf einem französischen Fluss etwa zwei Wochen lang umher. Sie rasteten und übernachteten auf kleinen, unbewohnten Inseln.

Dies ist in meinen Augen eine ziemlich abenteuerliche Form des Urlaubs und auf eine ganz spezielle Weise archaisch. Die beiden haben sämtliche Vorräte dabei, Kleidung zum Wechseln, ein Zelt, Schlafsäcke, Kochtöpfe, Isomatten, Futter für ihre beiden Hunde, Werkzeug usw. ...

Ihr Auto lassen sie am Anfang irgendwo am Fluss stehen und fahren dann zwei Wochen lang flussabwärts, gehen an Land, einer trampt oder fährt mit dem Zug zurück, holt das Auto und holt dann den anderen wieder ab.

Beide sprachen von wunderbaren Abenden am Feuer, wo sie nur gelesen, gechillt und es sich einfach haben gutgehen lassen. Sie sind auch schon annähernd fünfzig, und ich war voll der Bewunderung für diese doch recht ungewöhnliche, einfache und originelle Form des Urlaubs. Ich will Ihnen aber trotzdem sagen, warum ich das nicht machen könnte, obwohl sich das so gut anhört.

ICH KANN MIR NICHT VORSTELLEN, MIT MEINEN FÜNFZIG JAHREN IRGENDWO IN DER WILDNIS INS UNTERHOLZ ZU KNATTERN.

Das klingt jetzt blöd, aber genauso haben es die beiden gemacht. Wenn die Natur nach ihrem Recht rief, sind sie mit dem Spaten losgezogen, haben sich ein Loch gegraben, sich dort erleichtert und das Ganze dann wieder zugeschüttet.

Jetzt werden Sie vielleicht sagen: Das ist doch völlig albern. Wenn es ein so schöner, idyllischer, romantischer und naturverbundener Urlaub ist, dann ist es doch völlig egal, dass da jetzt nicht ein super Badezimmer mit Toilette, fließend Wasser und einer Dusche da ist. Na gut, ich könnte mir ja noch ganz gut vorstellen, mich im Fluss zu waschen, wenn keiner guckt. Es war ja Sommer, und die beiden haben gesagt, dass das von den Temperaturen her überhaupt kein Problem war. Aber sich – wie unsere Freunde – einfach so ins Unterholz zu setzen und da reinzuknöken, also nee, das wäre nix für mich. Und jetzt habe ich mich gefragt:

BIN ICH VIELLEICHT SCHRULLIG, STELLE ICH MICH ZU SEHR AN?

Und da erst habe ich gemerkt, dass die Stuhlgangfrage eine ganz wesentliche in unserem Alter ist, insbesondere in Bezug auf Urlaub. Wollen wir doch mal ehrlich sein, es ist doch im Urlaub eminent wichtig, dass man sich vernünftig ... nun ja ... erleichtert hat, bevor man dann losgeht – an den Strand, zum Stadtbummel, auf eine große Wanderung, oder was auch immer. Und da ist man doch schon recht froh, wenn eine vernünftige Toilette da ist. Auf La Palma hatten wir es mal, dass man dort das Toilettenpapier nicht herunterspülen, sondern in einem Eimer entsorgen musste, den man dann jeden Tag zu leeren hatte. Das ging noch, war aber schon grenzwertig. Wahrscheinlich denken Sie jetzt, was ist das für ein seltsamer analfixierter Mensch, der uns hier mit seinen doch recht intimen und ganz vortrefflich ekelhaften Ausführungen langweilt oder irritiert. Aber ich bitte Sie, halten Sie einen Moment beim Lesen inne und überlegen Sie, ob ich nicht vielleicht doch Recht habe.

Und jetzt fragen Sie sich vielleicht zusätzlich:

WAS WILL UNS DER MANN EIGENTLICH MITTEILEN?

Dieses ist ein Buch für alte Säcke und soll alten Säcken Hoffnung machen auf ein noch erfülltes, aktives und besseres Leben. Warum hält er uns nun Vorträge über Stuhlgang? Nun, ich will es Ihnen sagen, denn dieses Buch soll ja auch eine gewisse Gemeinsamkeit herstellen zwischen uns – Ihnen als Leser und mir als Autor – und man muss auch über unpopuläre, intime Dinge reden, um diese ganzen Problembereiche in den Griff zu kriegen und sich vielleicht auch aufgehoben zu fühlen in seiner eigenen Spleenigkeit, Empfindlichkeit und Tüddeligkeit. Denn, so schön es auch ist, flexibel und abenteuerlustig

zu sein – ein paar Dinge können wir uns in unserem Alter schon vor-
behalten, wie zum Beispiel das Benutzen einer vernünftigen Toilette.
Was nicht heißen soll, dass ich unseren Flussinsel-Freunden meine
Bewunderung entzöge für das, was sie tun. Im Gegenteil: In gewisser
Weise beneide ich sie sogar um die Fähigkeit, einfach so ohne
Umschweife und großes Aufhebens ins Unterholz zu knattern. Ich
wünschte, ich könnte wie sie, locker und unverkrampft dem Ruf der
Natur folgen. Es gelingt mir aber nicht, und ich habe beschlossen,

mich deswegen auch nicht mehr zu schämen. Und Sie, liebe Leser, sollten – wenn es Ihnen auch so geht – das auch nicht mehr tun.

Gut, jetzt habe ich also gesagt, was ich mir alles *nicht* vorstellen kann und wie viel Verständnis ich für mich und auch für Sie habe, wenn Sie es ähnlich sehen.

Heißt das also, dass wir komplizierte, unflexible alte Säcke sind? Ja, das heißt es wohl, und ich finde das auch völlig in Ordnung.

ICH MEINE, DASS WIR UNS IN UNSEREM ALTER NICHT ERZÄHLEN LASSEN SOLLTEN, DASS WIR ALLES MÖGLICHE MITMACHEN MÜSSEN, UM JUNG ZU BLEIBEN ODER UNS WIEDER JUNG FÜHLEN ZU KÖNNEN.

Wenn wir keine Probleme damit haben und wirklich noch so locker sind, wie unsere Freunde – dann ist das völlig in Ordnung. Aber andererseits sollte halt auch vorbehaltlos akzeptiert werden, wenn

wir die Toilettenfrage nicht mehr so locker sehen.

Sie ist übrigens auch einer der Gründe, weshalb ich nicht mehr auf große Rockfestivals gehe. Die Vorstellung, nach einem Tag auf eines dieser komplett zugeschissenen Dixi-Klos gehen zu müssen, empfinde ich mittlerweile als so furchtbar, dass ich mir das ganz einfach spare. Jaja, wir werden älter.

Und noch ein Witz für nette Essensrunden

Männer unter sich erzählen ja gern versaute Witze. Die gehören hier nicht hin. Aber man kann schon gut punkten mit guten Jokes. So gilt auch der ältere Herr noch als spritziger Unterhalter, der mal frivol sein kann, ohne gleich in die unterste Schublade zu greifen.

Ich habe hier einen Witz für Sie, der fängt scheinbar versaut an, wird dann aber harmlos, ist aber dennoch ein Knaller. Voilà:

Kommt ein Mann zum Arzt und sagt: »Herr Doktor, meine Hoden machen immer so einen Lärm.«

Sagt der Arzt: »Hä? Lärm? Wie das denn?«

»Na ja, die klötern und klacken. Macht halt Lärm da unten. Beim Gehen und so.«

»Na, dann machen Sie sich mal frei.«

Der Arzt guckt und sagt: »Na, das ist ja auch kein Wunder, dass die Lärm machen. Der eine ist ja aus Metall und der andere aus Holz.«

»Oh, Mist«, sagt der Mann. »Ist das gefährlich?«

»Gefährlich nicht, aber Sie können keine Kinder bekommen.«
»Hä, wieso das denn nicht? Ich hab doch zwei Söhne?«
»Was?«, fragt der Arzt. »Kann nicht sein. Wie alt sind die denn?«
»Na ja, Pinocchio ist fünf, und der Terminator wird sieben.«

Finden Sie doof?
Okay, man kann es nicht jedem recht machen.

Rotzlöffel im Job

Also, stellen Sie sich doch mal vor, Sie gingen noch zur Schule. Oberstufe, kurz vorm Abi. Und eines Tages kommt da so ein Rotzlöffel von Sextaner an und will Ihnen erzählen, wo es langgeht. Sagt, was Sie tun oder lassen sollen. Und führt sich auf, als ob Sie keine Ahnung von gar nix hätten. Krasse Vorstellung, oder? Ja, aber im Prinzip werden viele von uns alten Säcken mit genau dieser Situation konfrontiert. Und zwar im Job. Mit dem Unterschied, dass der Sextaner hier ein junger, agiler Aufsteiger ist. Anfang dreißig.

TYP PISSNELKE. DOPPELSTUDIENGANG MIT SUPER ABSCHLUSS. VIEL AUSLANDSERFAHRUNG. WENIG LEBENSERFAHRUNG.

Noch grün hinter den Ohren, aber schon ein verdammt großes Maul. Tja, diesen Typen gehört die Zukunft. Sie haben sich allerhand verkniffen, wenig gefeiert, sich durch fiese Assessment-Center gequält, tja, und irgendwann werden sie dann *unsere jüngeren Chefs*.

Viele von uns müssen sich mit jüngeren Chefs herumschlagen. Wir müssen ertragen, dass Sie uns Anordnungen erteilen. Sie könnten unsere Söhne sein. Und sie sind so verdammt dynamisch. Und sie haben noch alle Haare. Und keinen Bauchansatz.

UND GELEGENTLICH MÜSSEN WIR SOGAR AUSHALTEN, DASS SIE – VERDAMMT NOCH MAL – BESSER SIND ALS WIR.

Und wie gehen wir damit um? Mit diesen verdammt erfolgreichen *jüngeren Chefs*? Wir müssen sie aushalten wie das Älterwerden. Wir können es nicht ändern, dass da junge Kerle, bestens ausgebildet, nachwachsen und irgendwann befördert werden.

WIR MÜSSEN IHNEN MIT DER GEREIFTEN GELASSENHEIT DES ÄLTEREN KOLLEGEN BEGEGNEN.

Man muss das von sich und seinem eigenen Alter lösen. Sonst geht man kaputt. Es geht hier nicht um die Verdrängung eines Alphatiers aus dem Rudel. Jeder hat seine Zeit. Und irgendwann muss man seinen Platz halt räumen, oder aushalten, dass Jüngere an einem vorbeiziehen.

UND MANCHMAL HILFT ES AUCH, AN FRÜHER ZU DENKEN.

Als man selber noch jung war. Und so viel wollte. Und da war da dieser ältere Kollege. So um die fünfzig. Erfahren, aber auch eine Terz zu selbstgefällig. Und ein wenig unflexibel. Nicht gerade

aufgeschlossen für neue Ideen. »Ham wir immer so gemacht, warum sollten wir das anders machen?«, war sein Standardargument gegen Veränderungen. Irgendwie standen sie uns im Wege, diese Typen um die fünfzig.

Tja, und heute sind wir vielleicht selber ein bisschen so wie diese Burschen und wollen es nur nicht wahrhaben.

VIELLEICHT WÄRE ES EINE LÖSUNG, WENN WIR DEN JUNGEN BURSCHEN VON FRÜHER WIEDER MAL EIN BISSCHEN RAUSLIESSEN.

Irgendwo in uns hockt er ja noch. Vielleicht hat er den Rotzlöffeln von heute ja etwas zu sagen. Oder er versteht sie einfach nur ein bisschen besser als der alte Sack in uns, der da wieder mal gnatzend in die Kantine schleicht.

Schöner werden wir nicht mehr

EIN ALTER SACK MUSS AUCH

ZU SICH STEHEN

Jedes Frühjahr habe ich die gleichen Gedanken. Und jetzt nach meinem Fünfzigsten werden diese Gedanken noch drängender, gemeiner. Der Tag wird kommen. Die Stunde der Wahrheit. An einem heißen Sommernachmittag werden mir keine Ausflüchte mehr helfen. Meine Frau und meine Kinder werden schlussendlich gesiegt haben. Dann muss ich blankziehen. Denn dann gehen wir draußen baden.

SIE KENNEN DAS, NICHT WAHR? DIESES DOOFE GEFÜHL, WENN MAN SICH ALS »MANN IN DEN BESTEN JAHREN« NACH EINEM LANGEN WINTER DAS ERSTE MAL IN EINER ÖFFENTLICHEN BADEANSTALT AUSZIEHT.

Wenn man sich vorkommt wie eine dicke weiße Made, die sich unter den belustigten Blicken anderer hektisch aus den Kleidern schält, um dann verschämt in wenig vorteilhafte Badekleidung zu schlüpfen. Ich sehe nicht die anderen. Die, die auch älter geworden sind, die auch schwabbeln und blass wie Tiefkühl-Hühnerschenkel sind. Nein, ich sehe nur mich. Die Sonne zeigt mir alles in greller Klarheit. Die behaarten Beine, die kleine Wampe, die presswurstig über den Saum der Badehose drängt. Die doofen Füße. Das Grobporige der Haut. Das Faltige meiner Fresse. Das Unmuskulöse. Schlaffer, alter Sack, du!

»HALT INNE!«, RUFE ICH MIR JETZT ZU.

(...) So, jetzt habe ich innegehalten und kann zum Kern dieses Kapitels kommen. Zur Unsitte der übermäßigen, nutzlosen, zerstörerischen *Selbstentwertung*. Auch wenn es wie eine Binse klingt – man muss es sich immer wieder sagen: Wir werden älter, hässlicher, unfitter, und eines Tages liegen wir tot in der Kiste. Niemand kann das ändern. Das geht auch Bill Gates und George Clooney so. Damit muss man sich einfach abfinden. Das alles ist nicht schön, aber im Grunde war das im Alter von vierzig Jahren nicht viel anders. Wir müssen das also, wie früher, verdrängen bzw. ganz einfach *annehmen*. Jawohl!

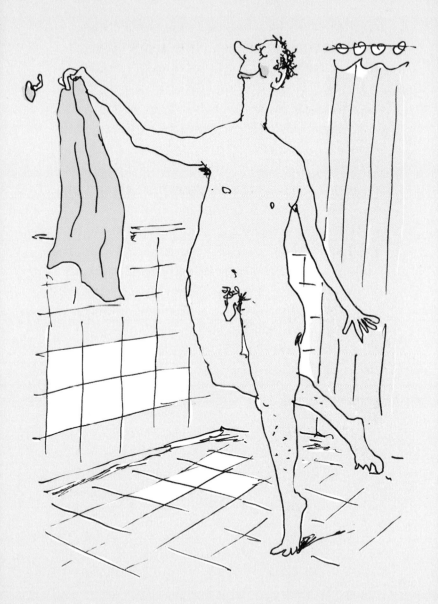

ICH KÖNNTE KOTZEN! WAS REDE ICH HIER? WIR VERFALLEN IN ZEITLUPE – UND DAMIT SOLLEN WIR UNS ABFINDEN?

Nun, ja – es bleibt uns ja nichts anderes übrig. Am Ende gibt es ja nur zwei Wege: älter werden mit guter oder älter werden mit schlechter Laune. Na, was wählen Sie?

HÖREN SIE AUF, SICH MIT JÜNGEREN ZU VERGLEICHEN.

Gucken Sie sich nicht dauernd Fotos von früher an. Bleiben Sie locker. Stehen Sie zu Ihrem Alter. Werden Sie weise statt gnatzig. Auch diese ganzen fitten Waschbrettbäuche am Strand werden eines Tages dickliche, faltige, alte Säcke. Sie können das denen auch ruhig auf den Kopf zu sagen (sofern Sie einen Schwarzgurt in Karate haben oder seit zehn Jahren boxen).

Natürlich kann man was machen, den Verfall aufhalten, gesund leben, Sport treiben. Das bringt viel und gibt einem das wirklich gute Gefühl, dass man *was macht* und nicht nur vergammelt. Lesen Sie dazu auch das Kapitel »Ich bin quasi ein Modo« in diesem hilfreichen, Mut machenden Buch eines Leidensgenossen.

Was Gutes ins Glas

Sie sollten sich nun, in der Mitte Ihres Lebens, auch mal was gönnen und sich dabei souveran absetzen – von all den jungen Kerls, denen Sie in Sachen Vitalität und Attraktivität ansonsten nicht mehr so richtig viel entgegenzusetzen haben. Whisky ist dazu ideal geeignet – sofern Sie keine Probleme mit Alkoholkonsum haben. Wenn Sie jetzt einwenden »Aber was ist mit Wein?« – dann sage ich: Wein ist durch. Also zumindest, um sich als Kenner von anderen abzusetzen. Da quatscht jeder mit, auch wenn kaum einer richtig Ahnung hat. Nee – lassen Sie uns über Whisky reden.

DAS ZEUG IST, WENN ES GUT SEIN SOLL, RECHT TEUER (KANN SICH ALSO NICHT JEDER JUNGE DEPP LEISTEN).

Whisky hat irgendwie einen »wertigen« Charakter, Kennerschaft zeugt von weltmännischem Erfahrungsschatz – und mir zumindest

95

schmeck das Zeug einfach supergut. Und außerdem löst die Whisky-
liebe recht häufig das Problem, wenn Sie vor Geburtstagen gefragt
werden: Was wünschst du dir denn? Die Antwort: »Eine Flasche Glen-
livet – 12 Jahre alt. Das ist ein Single Malt Scotch, recht blumig, pfir-
sichartig und wärmend im Abgang.«

ALSO DIESE ANSAGE KOMMT SO WAS VON COOL RÜBER.

Und die Pulle wird Ihnen jede Menge Freude machen.
Sie sollten sich auf Malt-Whisky aus Schottland und Irland spezialisieren, der aus gemälzter Gerste gemacht wird. Diese Sorten gelten
unter Kennern als das Wahre.
Man kann das Whisky-Trinken wunderbar zelebrieren, und es passt zu
uns älteren Herren.

**ERST JETZT, IN DER BLÜTE UNSERER JAHRE,
HABEN UNSERE GESCHMACKSNERVEN DIE REIFE
FÜR DIE GOLDGELBEN TRÖPFCHEN.**

Erst jetzt können wir fünfzig, gar hundert Euro für eine Flasche hinlegen, weil wir wissen, was gut ist und uns mit gewöhnlichem Brüllwas-
ser aus dem Supermarktregal nicht mehr zufriedengeben.
Ich empfehle eine gewisse Vorbereitung, etwa durch das Buch »Malt
Whisky« (Collection Rolf Heyne) von Michael Jackson (nicht verwandt
oder verschwägert mit dem verstorbenen Star). Da werden jede
Menge guter Whiskys vorgestellt und bewertet. Und wenn Sie dann
mal am Flughafen stehen und zollfrei einkaufen können – raus mit
dem Buch und eine schöne Pulle erwerben. Und zu Hause, wenn Sie

die richtigen Gläser zur Hand haben (auch wichtig), dann gießen Sie sich zwei Fingerbreit ein und sagen sich:

»ALTER SACK – DAS TUT GUT.«

Fifty Man

Neulich hatte ich einen Traum. Ich war ein Superheld. Aber kein normaler. Ich war ein alternder Superheld. Ich war *Fifty-Man*. Ein Held in den besten Jahren. Ich trug ein blaues, eng anliegendes Kostüm. Deutlich zeichnete sich ein recht großes Glied ab. Tut mir leid, so war das halt in dem Traum. Auch der Oberkörper war muskeltechnisch gesehen sehr gut ausgebildet. Aber man sah einen deutlichen Bauchansatz und Rettungsringe an den Hüften. *Fifty-Man* war halt nicht mehr zwanzig, was auch an der Zahl fünfzig, die auf Brusthöhe meines Kostüms prangte, unschwer zu erkennen war.

IN DIESEM TRAUM LEBTE ICH IN EINER WELT, IN DER ES NOCH ANDERE SUPERHELDEN GAB, ABER ALLE WAREN BEST-AGER.

Leute, die schon einiges hinter sich hatten. Da gab es *Falten-Woman*, eine schöne, aber reife Frau, deren Körper noch gut in Schuss war, deren Gesicht jedoch die Spuren des Alters zeigte. Sie konnte mit Lichtgeschwindigkeit laufen und trug dabei passend zu ihrem Gesicht einen Faltenrock und eine Gesichtsmaske aus Creme und Gurkenscheiben. Auch *Bett-Man*, ein achtzigjähriger Hero, der in

einem fliegenden, mit allerhand technischem Gerät ausgestatteten Altenheimbett für Recht und Ordnung kämpfte, gehörte zu den Superhelden, die ich zu meinen Freunden zählen durfte.

Der Traum begann mit einer Fahrt in der S-Bahn. Ich war in Zivil unterwegs, als ganz normaler Bürger. Neben mir saß ein junger Rotzlöffel, brüllte in sein Handy und hatte die Füße auf dem Sitz vor sich liegen. Ich bat ihn in sehr freundlichem Ton, doch etwas leiser zu sprechen und die Füße – wenn möglich – vom Sitz zu nehmen. Er sagte »Verpiss dich, Alter« und telefonierte weiter. An der nächsten Station stieg ich aus, zog mich heimlich und blitzschnell um, flog der S-Bahn hinterher, drang krachend durch ein Fenster ein und landete direkt vor dem Rotzlöffel. »*Fifty-Man*«, stöhnte der erschreckt und nahm sofort die Füße vom Sitz. Aber mein Zorn war noch nicht verraucht. Ich packte ihn mit einer Hand, drehte ihn ein paar Mal um seine eigene Achse, bis ihm speiübel war und zwang ihn dann, sein Handy zu essen. »Lass es dir eine Lehre sein«, donnerte ich. »Ich sah vom Himmel aus, wie du den Herrn neben dir behandelt hast – habe Respekt vor dem Alter, oder es wird dir übel ergehen.« Dann flog ich davon.

HERRLICH, DIESER TRAUM. ICH KONNTE FLIEGEN, HATTE SUPERKRÄFTE UND WAR UNVERWUNDBAR.

Fast unverwundbar. Nur »Old Spice«, der gute, alte Herrenduft konnte mich – weiß der Geier warum – ernsthaft verletzen. Aber das wusste niemand, außer *Falten-Woman*, aber die hielt dicht. Mein Erzfeind, *Wampen-Man*, ein Superheld, mit einem gewaltigen, zerstörerischen Blähbauch, versuchte schon lange hinter das Geheimnis meiner Verwundbarkeit zu kommen. Aber vergeblich. Einmal hatte ich mich vor meinem Super-Kumpel *Demenzos* verplappert. Aber der vergaß zum Glück mit Supergeschwindigkeit.

Der Traum endete mit einem gewaltigen Kampf. Ich war bei einer Patrouille auf *Wampen-Man* gestoßen, und hatte ihn mit meinem Hitzeblick schon fast zerschmort, als plötzlich dessen bösartiger Verbündeter *Tatter-Man* auftauchte. *Tatter-Man*, ein uralter Kämpfer aus der Parkinson-Sippe, zitterte und vibrierte in so hoher Taktzahl, dass man ihn praktisch nie zu fassen bekam. Aber ich schaltete eine — meinen Feinden bisher unbekannte Kraft —, meinen Slow-Motion-Modus ein. Alles verlangsamte sich. Ich konnte *Tatter-Man* jetzt gut erkennen, packte zu und schlug ... die Augen auf. Ich war hellwach, der Traum vorüber. Schade eigentlich.

KAM GUT – SO EIN TAG ALS ALTER SUPERSACK.

Das Bauch-gefühl

VORBEMERKUNG

Verehrte Leser, liebe alte Säcke,

zu allem, was uns welkende Männer betrifft, äußere ich mich hier in diesem Buch. Ein wichtiges Problem aber kenne ich nicht so gut: das Problem mit den überflüssigen Pfunden. Ich kann Ihnen doch keine Tipps fürs Abnehmen geben, wenn ich gerade mal sechzig Kilo auf die Waage bringe, oder? Deshalb habe ich einen guten Freund und ebenso guten Autor gebeten, ein Gastkapitel übers Abnehmen für dieses Buch zu schreiben.

Der Mann heißt Stephan Bartels, ist wahnsinnig nett und vollschlank, also ein bisschen übergewichtig – na ja, Stephan, genannt Stepp, ist zu dick, seit ich ihn kenne. Für mich gehört er so. Er sieht das anders. Über seinen Kampf gegen die Pfunde hat er das großartige Buch »Der Kilo-Killer. Ein Jahr im Schlankheitswahn« (Scherz-Verlag) geschrieben, das ich Ihnen wärmstens ans Herz lege, wenn Sie auch zu viel auf den Rippen haben.

Hier ist nun Stephans Text, für den ich ihm herzlich danke, auch wenn ich dem Mann, wie immer, wahnsinnig in den Hintern treten musste, damit er rechtzeitig abgibt.

Kester Schlenz bekommt so langsam tiefe Falten um die Tränensäcke, das Haar ergraut allmählich, sofern es nicht ganz verschwindet, er wird vergesslich und erzählt schlechte Witze grundsätzlich doppelt – aber bei einem unerfreulichen Begleitumstand des Alterns kann dieser Mann nun wirklich nicht mitreden: dem Problem mit dem wachsenden Gewicht.

Schlenz ist rappeldürr. Ich hingegen bin zwar erst knapp über vierzig, aber ein sehr, sehr alter Hase auf dem Feld der Gewichtsreduktion.

GROB GESCHÄTZT HABE ICH IN DEN VERGANGENEN ZWANZIG JAHREN ETWA 180 KILO ABGENOMMEN; DUMMERWEISE ABER AUCH UNGEFÄHR 195 WIEDER ZUGENOMMEN, DIE BILANZ SPRICHT ALSO NICHT SO RICHTIG FÜR MICH.

Außerdem führt sie dazu, dass manche meiner Freunde mich Jojo nennen, obwohl keiner meiner Vornamen Jochen, Joachim oder Johannes ist. Man könnte fast sagen, Ab- und Zunahme sei mein Lebensthema, ich habe sogar ein Buch darüber geschrieben. Und weil ich nun mal so ein ausgebuffter Experte auf diesem Gebiet bin, hat Kester Schlenz mich gebeten, Ihnen und Ihrem wachsenden Bauch ein paar Tipps zu geben, wie Sie unnötigen Ballast loswerden – oder am besten gar nicht erst raufschaffen. Ich sage es Ihnen gleich mal vorweg: Ihre Lage ist ernst. Im Grunde sogar hoffnungslos.

Sehen wir uns doch noch einmal meinen Freund Kester an. Er isst sehr maßvoll, trinkt kaum, treibt Sport, ist drahtig und so dünn, dass man ihm auf der Straße mitleidig Kekse und Frikadellen zusteckt. Gute Gene halt, der Glückspilz. Aber wenn man mal genau hinschaut, dann wölbt sich selbst bei ihm über dem Gürtel eine kleine und dennoch stattliche Kugel, ein Wohlstandsranzen, der unerbittlich Zeugnis ablegt von den zwei Gläsern Rotwein, die der Mann sich zum gemütlichen *Tatort*-Abend mit ein paar Bio-Dinkelcrackern genehmigt. Denn hier ist das mittlere Alter gnadenlos:

KLEINE SÜNDEN BESTRAFT DER DIÄT-GOTT AB MITTE DREISSIG NICHT NUR SOFORT, ER STELLT SIE AUCH DEKORATIV IN DER HÜFTGEGEND ZUR SCHAU.

Sobald man die vierzig überschritten hat, gilt folgende Faustregel: Man nimmt pro Jahr automatisch ein Kilo zu. Jedenfalls dann, wenn man seine Lebensgewohnheiten stoisch beibehält, so viel isst wie vorher, sich so viel bewegt wie vorher ... Das liegt daran, dass der Grundumsatz des Körpers sinkt – er braucht schlicht weniger Energie, um seinen Status quo zu erhalten. (Welcher Umstand allerdings dafür sorgt, dass sich die gleichnamige britische Schweinerockband um die Herren Parfitt und Rossi bis heute erhalten hat, stellt die Wissenschaft vor ein Rätsel. Aber das nur nebenbei.) Die Proportionen verändern sich, man baut Muskeln ab, Fettgewebe lagert sich leichter ein. Wie gesagt: Das alles passiert schon dann, wenn Sie immer noch wie früher vernünftig essen und mindestens so flott durch die Gegend joggen wie mit dreißig.
Der Haken ist bloß: Die meisten von Ihnen tun das nicht. Nicht

umsonst beenden Hochleistungssportler ihre Karriere spätestens in den Dreißigern und nicht erst mit Mitte fünfzig – die Luft wird nun mal dünner, meine Herren, der Körper ist immer schwerer zu bewegen, selbst ohne Übergewicht.

DAS EINZIGE, WAS ABNIMMT, IST IHRE AGILITÄT.

Denn gegessen wird mit den Jahren nun einmal in der Regel besser, öfter, mehr. Und anders: Wenn man sehr viel Sport macht, fordert der Körper einfach gesündere Nahrungsmittel ein – Vitamine, Eiweiße, auf all das gesunde Zeug hat man quasi automatisch Lust und Laune. Mit wachsender Bequemlichkeit aber bekommt man auch Bock auf Essen, das eigentlich mehr unter Genussmittel läuft. Und so werden aus dem einen automatischen Kilo zusätzlich pro Jahr ohne große Mühe locker drei und mehr.

ES IST IRRE FRUSTRIEREND, WENN MAN PLÖTZLICH SEIN LIEBLINGSHEMD AM BAUCH NICHT MEHR ZUKNÖPFEN KANN.

Einige von Ihnen werden dieses Gefühl kennen, ich sowieso. Und bei manchen von Ihnen wird in diesem Moment ein Widerstand erwachen, ein Impuls, diesen Fremdkörper über dem Unterleib nicht kampflos hinnehmen zu wollen.

ALLE JENE, DENEN ES SO GEHT, BEGRÜSSE ICH NUN RECHT HERZLICH IN DER WUNDERSAMEN WELT DER DIÄTEN.

Es ist eine Welt voller Vorurteile und Missverständnisse, voller Verzweiflung und Niederlagen – nur manchmal bietet sie ein paar Glücksmomente, für die der oft zitierte Orgasmus als Analogie nicht mehr ausreicht.

Als ich das erste Mal abgenommen habe, war ich knapp über zwanzig. Ich spielte Fußball, hatte in der Sommerpause extrem über die Stränge geschlagen, erkundigte mich bei meiner Mutter nach FDH und verlor in vier Wochen zehn Kilo, ohne Probleme.

Zehn Jahre später spielte ich nicht mehr Fußball, war Familienvater ohne Bewegung, sah aus wie der junge Günter Strack und war unglücklich. Ich ging zu den Weight Watchers. Es war nicht mehr so leicht wie vorher, aber immer noch erfolgreich: In einem halben Jahr verlor ich 27 Kilo.

Beim letzten Mal – ich war knapp vierzig – bin ich wieder um die zwanzig Kilo losgeworden. Aber diesmal habe ich ein Jahr gebraucht, mit der LOGI-Diät, mit Coaching, mit Fasten-Yoga ... Was ich damit sagen will: Es gibt viele Wege, Gewicht zu verlieren. Aber je älter man wird, desto schwerer fällt es, zum Erfolg zu gelangen.

KLAR IST: WENN MAN ABNEHMEN WILL, MUSS MEHR RAUS ALS REIN.

Deshalb gilt: Ohne Sport wird das alles nix. Wenn Sie bislang überhaupt nichts machen, wird Ihnen der Schritt zur Bewegung am Anfang irre schwerfallen. Aber gerade Sie profitieren am meisten, schließlich wird Ihr Körper den neu entdeckten Sport extrem schnell belohnen. Und das fühlt sich verdammt gut an.

ALSO, WICHTIGSTE REGEL: HOCH DEN HINTERN! RAUF AUF DAS FAHRRAD, IN DIE JOGGINGSCHUHE ODER IN DIE BADEHOSE!

Das allerdings ist nur ein Anfang. Klar müssen Sie auch an Ihrer Ernährung drehen und weniger reintun als Sie verbrennen. Für den Weg dahin gibt es handgeschätzte 1,8 Millionen verschiedene Theorien und Philosophien, sprich: Diäten. Werfen wir doch mal einen Blick auf die führenden:

ATKINS-DIÄT

Wird neudeutsch auch unter »Low-Carb« geführt und klingt für die Fleischesser unter uns erstmal verlockend. Schließlich nimmt man hauptsächlich Fett und Proteine zu sich, na gut, später auch viel Gemüse, aber hey: Steaks! Schnitzel! Fett! Yippieh! Bloß Brot, Nudeln, Kartoffeln und andere Kohlehydratträger sind verpönt. Dummerweise gilt diese Ernährung unter übel meinenden Wissenschaftlern inzwischen als ungesund, und die Atkins Nutritionals Inc. hat 2005 Insolvenz angemeldet. Vielleicht also versuchen Sie es doch lieber mit dem

LOGI-PRINZIP

LOGI steht für Low Glycemic Index und will, dass man den Blutzuckerspiegel niedrig hält. Ist Atkins gar nicht mal unähnlich, Eiweiß und gute Fette sind wichtig. Aber Kohlenhydrate sind deutlich erlaubter, was den Speiseplan erfreulich abwechslungsreicher macht.

Die oben erwähnten Wissenschaftler kritisieren hier, dass der glykämische Index ja noch gar nicht bewiesen hätte, dass er wirklich wichtig sei. Ist übrigens auch als dauerhafte Ernährungsumstellung gedacht. Genau wie die Methode der

WEIGHT WATCHERS

Da ist irgendwie alles erlaubt – aber in Maßen, meine Herren. Fettarm soll es sein, vitaminreich, und wenn schon Süßes, dann bitte in homöopathischen Dosen. Kalorien werden bei den WWs nicht gezählt, dafür Punkte. Jedes Lebensmittel hat nämlich einen Punktwert, und man bekommt einen bestimmten Wert errechnet, bis zu dem man täglich futtern darf. Klingt gut, erzielt übrigens auch die schönsten Erfolge und hat einen Haken: Man trifft sich wöchentlich zu Gruppensitzungen. Sie werden dort wahrscheinlich der einzige Mann sein, all die dicken Frauen dort werden Sie hassen, weil Männer schneller abnehmen. Und spätestens nach der zweiten Sitzung werden Sie sich fragen, ob Sie in eine fundamentalistische Sekte geraten sind. Auf eine gewisse Art – ja. Ich rate trotzdem zu. Der Erfolg gibt den Weight Watchers Recht.

BRIGITTE-DIÄT

Gilt im Allgemeinen als sehr ausgewogen und gut durchdacht. Bei der BRIGITTE gibt's fast alles auf den Tisch, bis zu einer Grenze von 1500 Kalorien am Tag. Der Haken: Man muss sich penibel an Mengen und Rezepte halten, das macht das Ganze etwas anstrengend.

BROTTRUNK-DIÄT, ANANAS-DIÄT, SCHNITZEL-DIÄT

Finger weg. Alles, was nach Themen-Abnehmen klingt, ist nix.

Welche Art der Ernährung nun am besten zu Ihnen passt, ist im Grunde nebensächlich. Letztendlich mündet das Ganze in einer einfachen Formel: Vernünftig essen, mal ein bisschen darben plus mehr bewegen, geteilt durch einen Sack voll Disziplin – ist gleich schlank. Oder schlanker. Oder zumindest nicht mehr ganz so dick.
Aber das sagt sich so leicht. Vor diesem ganzen Diäten-Gedöns steht nämlich noch der innere Schweinehund, der knurrend seinen Platz verteidigt und niedergerungen werden muss. Das geht mit fünfzig nicht mehr so einfach wie mit zwanzig.

UND SOLLTEN SIE DEN RINGKAMPF AM ENDE DOCH VERLIEREN – GRÄMEN SIE SICH NICHT ALLZU SEHR.

Schließlich haben Sie in der anstehenden Wirtschaftskrise wenigstens noch was zuzusetzen.

WENN DIE GANZEN LEPTOSOMEN DAUERLÄUFER (EINSCHLIESSLICH KESTER SCHLENZ) SCHON AUSGEMERGELT DURCH DIE SCHLECHTEN ZEITEN TAUMELN, ZEHREN SIE NOCH VON IHREM SORGFÄLTIG ANGEFUTTERTEN BAUCHSPECK.

Und abgesehen davon: Nicht jeder steht auf dünn. Die Anerkennung der Stattlichkeit ist wieder auf Vormarsch, glauben Sie mir. Der

Schauspieler Rainer Hunold zum Beispiel sagte mal, dass er sich unter 100 Kilo richtig mies fühlen würde. Und eine Kollegin von mir findet dünne Kerle richtig blöd. Die sagte neulich etwas sehr Schönes:

**EIN MANN OHNE BAUCH IST
WIE EIN HIMMEL OHNE STERNE.**

Dog Days

AUF DEN HUND KOMMEN

Ich habe ja schon mehrfach in diesem Buch auf die Notwendigkeit sportlicher Betätigung hingewiesen. Aber ich weiß ja, es fällt schwer, sich morgens aufzuraffen, Sportsachen anzuziehen und loszulaufen. Die Beine tun weh, das Herz pocht, und man denkt, oh, nee, fünf Minuten gelaufen und schon so schlapp und, damit es was bringt, muss ich ja mindestens eine halbe Stunde oder besser 45 Minuten durchhalten – ja, das ist hart.

Trotzdem müssen wir dranbleiben. Wenn nun einer von uns alten Herren absolut nicht wetzen will, dann kann er natürlich auch exzessiv spazieren gehen. Ich will nicht »walken« sagen; das Wort klingt ja schon wieder so doof. Aber lange und ausgedehnte Spaziergänge, ein, zwei Stunden durch die Natur, das bringt durchaus auch eine Menge, haben mir Mediziner versichert. Aber auch dazu muss man sich halt aufraffen.

Bei gutem Wetter ist das alles ja kein Problem. Das kennt man. Aus allen Löchern kommen die Spaziergänger dann, meist Männer und Frauen paarweise in schicken Outdoor-Jacken, die, in Gesprächen versunken, wohlwollend, um sich nickend durch den Sonnenschein flanieren. Aber wir leben nun mal nicht in Südfrankreich oder Spanien. Das Wetter für solche Spaziergänge ist bei uns meist einfach nicht gut genug. Und wenn es mal gut ist, haben wir oft keine Zeit, sitzen im Büro, blicken mit waidwundem Blick hinaus aus dem Fenster und denken uns: Mist, warum hocke ich hier, anstatt irgendwo gemütlich an der See zu sitzen und Kaffee zu trinken. Wie machen das eigentlich die ganzen anderen Tagediebe im arbeitsfähigen Alter, die ich da draußen flanieren sehe? Haben die nix zu tun?

ABER SCHLUSS MIT DEM GEJAMMER!

Wir müssen uns Lösungen überlegen. Nehmen wir mal an, Sie sind kein großer Sportler, kein Läufer, es fällt Ihnen all das vorsätzliche Bewegen bei miesem Wetter schwer, Sie möchten aber was tun, und meinetwegen auch spazieren gehen. Ja, also dann kann ich nur diesen berühmten alten Spruch zitieren: Es gibt kein schlechtes Wetter, es gibt nur unpassende Kleidung. Mit anderen Worten: Präparieren Sie sich. Sie werden sehen, was es für ein befriedigendes Gefühl ist, in guter Outdoor-Kleidung ein, zwei Stunden den Elementen zu trotzen. Es gibt ja überall diese Outdoor-Shops und Läden. Wenn man sich da richtig eindeckt, kommt man sich vor wie Reinhold Messner auf irgendeiner Expedition.

TROTZDEM BLEIBT DIE FRAGE, WIE MOTIVIERE ICH MICH, WIE BRINGE ICH MICH WILLENTLICH NACH DRAUSSEN?

Selbst, wenn die schönste Jacke, der schönste Südwester, die regendichteste Hose und die festesten Wanderstiefel im Schrank warten, heißt es noch lange nicht, dass man auch Lust hat loszugehen. Also muss man sich zwingen, man muss einen Anlass haben.

UND JETZT KOMMEN WIR AUF DEN HUND.

Wenn Sie auch nur im Entferntesten etwas mit diesen vierbeinigen Freunden anfangen können, dann schaffen Sie sich einen Hund an – sollten Sie sich zu wenig bewegen und die Möglichkeit haben, sich ein bisschen um das Tier zu kümmern.

ABGESEHEN VON EINIGEN GEWICHTIGEN GEGENARGUMENTEN – ABER DAZU SPÄTER – IST DER HUND IN SACHEN SPAZIEREN GEHEN DIE PERFEKTE LÖSUNG.

Denn das Tier muss raus – jeden Tag, bei jedem Wetter. Egal, wie Sie drauf sind oder was die anderen sagen: Wenn man seinen Hund ernst nimmt und liebt, dann geht man mindestens zwei Mal am Tag mit ihm zu ausgedehnten Spaziergängen raus. Wer in einer Etagenwohnung lebt und keine Zeit hat, sollte sich allerdings keinen Hund anschaffen. Das ist nichts weiter als Tierquälerei. Alle anderen, die vor, nach, während der Arbeit mit dem Hund rausgehen können oder jemanden zu Hause haben, der das dann auch mal übernimmt, für all die ist das die ideale Lösung.

ICH SPRECHE DIESES KAPITEL HIER GERADE AUF EIN DIKTIERGERÄT, WÄHREND ICH MIT UNSEREM HUND LUZIE UNTERWEGS BIN.

Eigentlich war ich heute Morgen mies gelaunt: Reißen im Rücken, leichter Kater, Steuererklärung noch nicht gemacht, Unerledigtes auf dem Schreibtisch, und eigentlich wollte ich den Keller aufräumen. Na, ich war nicht mit mir im Reinen. Und dann sagte meine Frau: »Geh doch ein bisschen mit dem Hund. Das bringt dich besser drauf.« Ich also meine coolen Goretex-Wanderschuhe angezogen, Pulli, Lederjacke, Handschuhe — es ist Herbst —, und raus mit dem

Hund. Luzie, schon 13 Jahre alt, betagt, aber immer noch ganz gut drauf, war außer sich vor Freude. Nicht unbedingt, weil der alte Gnatzkopf mit ihr rausgeht, sondern nur weil es überhaupt rausgeht.

Die Luft ist kalt, aber frisch. Ich bin gerade auf dem Weg in einen Wald, und schon merke ich, dass ich mich ein bisschen besser fühle. Okay, ein paar Leute, die mir entgegenkommen, denken, was ist das für ein bescheuerter Typ, der da in seine Hand reinquatscht. Scheiß drauf! Luzie, eine Mischung aus Labrador und Golden Retriever, läuft vorweg, pinkelt mal irgendwo hin, kotet ins Unterholz, und ansonsten schnüffelt und freut sie sich.

Wir bilden eigentlich eine ganz perfekte Symbiose. Luzie ist mit sich zufrieden, und ich werde langsam ruhiger und besser gelaunt, weil ich an der frischen Luft bin, kräftig ausschreite, das Gefühl habe, ich tue was.

ICH SCHLENDERE NICHT NUR WIE SO EIN ALTER SACK HERUM, SONDERN WALKE PRAKTISCH SPORTIV DURCH DIE NATUR.

Fragen Sie Leute, die Hunde haben. Es ist tatsächlich so. Wenn man einen Hund hat, geht man mehr raus. Man zwingt sich, weil der Hund eben rausmuss, und kommt sich zudem auch nicht so blöd vor. Denn jeder sieht es ein, dass Menschen mit Hunden bei Mistwetter über irgendwelche Wiesen, durch Wälder oder Vorstadtsiedlungen laufen, ohne sich dabei etwas zu denken. Ein etwa fünfzigjähriger Mann, der sich allein mit hochgeschlagenem Mantelkragen am Rande von Wohnblocks oder Kleingartensiedlungen herumtreibt, fällt ja doch immer irgendwie etwas unangenehm auf. Bei Hundebesitzern ist das völlig anders. Sie sind generell unverdächtig, und sie kommen zudem ins Gespräch mit anderen Hundebesitzern. Für Singles übrigens eine willkommene Gelegenheit, Frauen oder Männer kennenzulernen. Ich habe schon oft gehört, dass Leute beim Hundespaziergang angebandelt haben.

JETZT WOLLEN WIR ABER NICHT UNTERSCHLAGEN, DASS DIE ENTSCHEIDUNG, SICH EINEN HUND ZU KAUFEN, NICHT ALLEINE DAVON GETRIEBEN SEIN SOLLTE, DASS MAN REGELMÄSSIG SPAZIEREN GEHEN MÖCHTE.

So ein Hund ist ein sensibles, manchmal aggressives, manchmal lethargisches, lebhaftes, aber durchaus nicht unkompliziertes Lebewesen, das erzogen werden will. Und wer sich einen jungen Hund kauft, direkt ab Wurf, wie es so schön heißt, der sollte sich auf ein nicht unanstrengendes erstes Jahr einstellen. Die Sache mit dem Stubenrein-Bekommen ist schon schwer genug.

MENSCHEN MIT TEPPICHEN WERDEN NICHT IMMER IHRE FREUDE HABEN, WENN SIE FRISCH EINGEKOTETE PERSER SÄUBERN MÜSSEN. ABER DAS KRIEGT MAN DANN DOCH RELATIV SCHNELL HIN.

Ansonsten ist die Hundeerziehung eine gar nicht so einfache Sache. Tiere lassen sich nicht so einfach überzeugen. Man kann mit ihnen nicht vernünftig reden, man muss ihnen Befehle geben und Leckerlis, wenn sie gehorchen, sie übertrieben loben, streicheln – kurz: Man kann sie grundsätzlich nicht wie Kinder erziehen.

DER HUND – ICH MUSS ES HIER EINMAL GANZ KLAR SAGEN – ALSO DER HUND BRINGT IN EINEM DIE AUTORITÄREN SEITEN HERVOR.

Luzie in ihren wilden Kindheits- und Jugendjahren war unfassbar schwer in den Griff zu kriegen. Sie lief jedem Tier, jedem Menschen hinterher – nicht, um zu beißen, sondern um zu spielen und sich zu freuen. Sie holte alte Damen vom Fahrrad und wurde mehrfach fast überfahren. Ich habe dann stets am Straßenrand gestanden, mit hochrotem Kopf herumgebrüllt und mich beim Versuch, das Tier in den Griff zu bekommen, ungeheuer aufgeregt. Ein Besuch in der Hundeschule hat uns dann in die Grundbegriffe der Hundeerziehung eingeführt.

ES GEHT HIER – DAS IST SCHNELL ERZÄHLT – VOR ALLEN DINGEN UM KONSEQUENZ, KLARE KANTE, KEINE AUSNAHMEN.

Man lernt auch, dass es so ein Hund zum Beispiel nicht verstehen kann, dass er, wenn er wegläuft und man rumbrüllt, und der Hund dann irgendwann kommt, zur Belohnung dann eine gesemmelt kriegt. Er speichert dann in seinem Kopf ab: Ich krieg eine geklebt, wenn ich wiederkomme – statt: Ich krieg was auf die Rübe, wenn ich weglaufe. Womit ich jetzt hier nicht meine, dass der Hund geschlagen werden sollte. Es geht um einen Klaps oder ein Rütteln – oder man würgt das Tier heftig – kleiner Scherz, sollte man nicht machen. Aber ich will mich in diesem Kapitel nicht in den Feinheiten und Untiefen der Hundeerziehung verlieren, denn es gibt da durchaus auch verschiedene Schulen und verschiedene Meinungen.

WIR HABEN MIT KONSEQUENZ, EINIGEM GEBRÜLLE UND RÜTTELN DAS TIER SCHLIESSLICH ZU EINEM LEIDLICH ERZOGENEN WESEN GEMACHT, HABEN SEITDEM ABER AUCH VIEL MEHR SPASS MITEINANDER.

Ein paar Dinge sind klargestellt, und Luzie und ich kommen jetzt eigentlich recht prima miteinander aus.

Ich bin übrigens gerade auf dem Gelände eines ehemaligen Truppenübungsplatzes. Früher sind hier die Panzer gerollt, jetzt ist es ein Naturparadies. Luzie läuft hinter mir. Die Weite dieses Platzes, die bewachsenen Hügel, auf denen die Panzer früher fuhren, all das strahlt eine majestätische Ruhe aus.

ICH FÜHLE MICH VERDAMMT VIEL BESSER ALS NOCH VORHIN UND SAGE MIR, OHNE MEINEN HUND WÄRE ICH SOZUSAGEN AUF DENSELBEN GEKOMMEN.

Klar, wenn man so ein Tier hat, ist es schwer, in den Urlaub zu fahren – sofern man keinen hat, der währenddessen auf den Hund aufpasst. Zudem ist er teuer, er muss versichert werden, er frisst eine Menge, er macht Dreck. Wenn er mal krank ist, erbricht er sich in seinem Körbchen.

Er macht Lärm, aber er passt auch auf. Wir fühlen uns nach zwei Einbrüchen sehr viel sicherer, seit wir Luzie haben. Was die Einbrecher nicht wissen, ist, dass dieser Hund nur bellt und nie beißt, aber das sollen sie ja auch nicht wissen. Deshalb werde ich diese Stelle später wieder aus diesem Kapitel streichen. Vielleicht auch nicht, weil: Vielleicht stimmt es ja auch nicht, und Luzie ist ein gefährlicher, blutrünstiger Wachhund, der jeden zerreißt, der es wagt, illegal den Fuß auf unser Grundstück zu setzen.

UND ICH WILL DAS ENDLICH MAL SEHEN.

Versuchen Sie es doch! Ich wische dann gern das Blut weg, das aus Ihren zerfetzten Unterschenkeln sprudelt.

Wenn alte Säcke mit sich selber sprechen

VERDAMMT BEKANNTE SÄTZE,

NICHT WAHR?

Oh, Mann!
Verdammt.
Das ging alles so schnell mit dem Leben.
Früher – das ist noch gar nicht so lange her.
Wo sind die letzten zwanzig Jahre geblieben?
War's das jetzt?
Ich fühle mich doch noch so jung.
Okay, mal abgesehen von den Rückenschmerzen und dem lädierten Knie.

ABER EIGENTLICH – SO IM KOPF, SO MIND-MÄSSIG – BIN ICH NOCH VERDAMMT GUT DRAUF.

Also, wenn ich wollte, dann könnte ich noch mal so richtig die Sau rauslassen ...

123

Campen mit Kumpels in Kanada.
Oder einen dieser Marathonläufe.
Mit Boxen anfangen.

ALSO, WENN ICH MEHR ZEIT HÄTTE.
ALSO ECHT, KEIN PROBLEM — THEORETISCH.
ICH NEHM MIR DAS JETZT MAL VOR.

Oder kauf ich mir dieses Motorrad?
Oder den geilen kleinen Wagen?
Oder doch das Rennrad?
Na ja, Sport wäre ja besser.
Selber bewegen.

GUCK DIR DIE PLAUZE AN.
GANZ SCHÖNE POCKE.
ECHTES »HOLSTEN-GESCHWÜR«.

Gut — also entweder das Fahrrad,
und dann richtig loslegen.
Oder ab jetzt drei Mal die Woche laufen.
Eisenhart!
Man muss angehen gegen den Verfall.
Und dann check ich mal dieses Fitness-Center.
Und bei den Poker-Runden mit den Jungs
ein paar Biere und Chips-Tüten weniger.
Überhaupt — die Sache mit dem Alkohol
Am Wochenende — okay.

Aber nicht mehr jeden Abend den Absacker Rotwein.
Bleibt ja doch nicht immer bei einem Glas.
Da redet man, schenkt nach.
Und schon wieder zu viel intus.
Muss ich echt mal in den Griff kriegen.
Ist auch nicht gut für den Teint.

GUCK DIR DIE FRESSE AN,
MANN, WAS SAH ICH FRÜHER GUT AUS!

Na ja …, gut … Aber zumindest frisch.
Selbst nach einer durchgemachten Nacht.
Und heute?
Einmal erst morgens um vier ins Bett,
und der nächste Tag ist im Arsch.
Kopfschmerzen, Herzrasen, Darmbeschwerden
und Gesichtsältester.
Wie geht noch dieser Witz?

»DU, ICH HABE EINE LEDER-ALLERGIE – IMMER WENN
ICH IN MEINEN STIEFELN EINSCHLAFE, HABE ICH AM
NÄCHSTEN MORGEN EINEN DICKEN KOPF!«

Tja – man steckt das nicht mehr weg.
Ich bin ab 24 Uhr immer müde.
Außer, der Abend rockt wirklich,
aber wann rockt es wirklich noch?
In unserem Alter?

Andererseits:
'ne Nacht durchtanzen?
Durch die Kneipen ziehen.

RUMSTEHEN, FLASCHE IN DER HAND
UND FRAUEN ANGLOTZEN –
ALSO, NEE.

Gemütliches Essen mit noch zwei Paaren –
das ist doch echt was Feines.
Und gute Gespräche.
Okay – das klingt jetzt wirklich behäbig,

betagt,
alt,
nicht gerade dynamisch,
aber ich hab Spaß dran.
Andererseits: Man muss ja auch mal was unternehmen:
Kino, Konzerte, Theater.
Wenn da was Vernünftiges läuft,
was zu selten der Fall ist.

MAN WIRD JA KRITISCHER IM ALTER,
GUCKT SICH NICHT MEHR JEDEN SCHEISS AN,
SITZT DA IN DOOFEN KONZERTEN,
ZAHLT 100 EURO DIE KARTE,
WARTET ZWEI STUNDEN, EHE DIE ANFANGEN,
UND DANN IST'S AUCH NOCH MIST.

Und im Kino ...
Laut sind die da,
quatschen dazwischen.
Na ja ...

HAUPTSACHE, MAN BLEIBT IM KOPF JUNG,
SACH ICH IMMER.

Der Bringer: Bildung

Männer sind ja meist nicht so die großen Bücherleser. Der belletristische Buchmarkt — es wundert nicht — ist vor allem ein Frauenmarkt.

AUS MEHREREN GRÜNDEN SOLLTEN SICH ALTE SÄCKE WIE WIR ABER MEHR DER LITERATUR WIDMEN.

Erstens kann es sehr viel Spaß machen, man kann gelegentlich eine Menge lernen (auch über sich), und darüber hinaus bieten Romankenntnisse *die* Gelegenheit, bei vielen Frauen zu punkten. Es macht einen einfach interessanter, wenn man sagen kann: »Also ich fand ›Nachtzug nach Lissabon‹ von Pascal Mercier zwar etwas zu geschwätzig, aber der Roman hat wunderbare Stellen. Vor allem die Krise des Mannes in den besten Jahren wird hier ziemlich einfühlsam thematisiert.«
Das wird sie tatsächlich. Für diesen Roman braucht man aber etwas Muße und Geduld. Ist vielleicht nicht der ideale Start für den Buchmuffel. Mir hat er aber sehr gut gefallen.

Auch die Romane des Schweizers Martin Suter sind klasse und dabei zugänglicher, besonders »Die dunkle Seite des Mondes«. Suter ist Experte für Männer, die die Kontrolle verlieren. Und so was treibt uns ja um, nicht wahr? Spannend zu lesen ist das Zeugs, trotzdem niveauvoll, gut zum Diskutieren geeignet. Und absolut keine reine Männerliteratur. Im Gegenteil.

FRAUEN SCHÄTZEN SUTER, DER EIN WIRKLICH COOLER TYP IST.

Also, den *auch* lesen, und Sie sind bestens für den Smalltalk gerüstet und werden dazu noch blendend unterhalten.

Auch zwei Giganten unter den Autoren befassen sich immer wieder mit Männern in der Krise: Philip Roth (z. B. in »Exit Ghost«) und Martin Walser (z. B. in »Der Augenblick der Liebe«). Aber Vorsicht: In »Exit Ghost« geht es u. a. um Inkontinenz und Prostatakrebs. Ist nicht jedermanns Sache, das.

Jetzt werden Sie vielleicht einwenden: Ich lese aber nur Krimis. Und Roth und Walser sind mir ohnehin zu geschwätzig. Ha! Kein Problem.

KRIMIS? ABSOLUT ANGESAGT BEI FRAUEN.

Nicht nur als Lesende. Die blutigsten Krimis schreiben zurzeit Autor*innen*: Karin Slaughter, Mo Hayder, Tess Gerritsen – ultraharter Stoff – kann ich nicht jedem empfehlen. Aber allein diese Information kann – nebenbei eingeflochten – schon zeigen, dass Sie unterhaltungs-literarisch auf der Höhe der Zeit sind. Empfehlen aber kann

ich die Kriminalromane der französischen Autorin Fred Vargas – und zwar alle. Sehr gute, durchaus anspruchsvolle Werke. Auch prima zum Verschenken an Frauen geeignet. »Mann, hat der einen Sinn für die schwierige Gratwanderung zwischen Poesie und Spannung« wird die Beschenkte denken – jawohl!

Zurück zu den männlichen Autoren. Henning Mankell hat seine besten Zeiten hinter sich. Aber die anderen Krimi-Schweden in seinem Gefolge, Arne Dahl, Håkan Nesser und Joe Nesbø zum Beispiel, sind echte Könner. Machen Sie nix falsch mit.

Aber Krimis allein reichen auf die Dauer nicht.

VON UNS ALTEN SÄCKEN WIRD JA EINE FUNDIERTE BILDUNG UND NIVEAUVOLLER SMALLTALK ERWARTET.

Okay, für die Tagespolitik reichen die *Süddeutsche* und *Spiegel* oder *Stern*. Aber was ist mit den Lücken in der Bildung, die fast jeder von uns hat? Wie war das noch mal mit der Frankfurter Schule? Was hatte von Papen mit Hitler zu tun? Wann war der Wiener Kongress und worum – zum Teufel – ging es da noch mal? Also ich gebe es zu: Ich habe gewisse Lücken mit dem guten, alten Bestseller von Dietrich Schwanitz »Bildung – alles, was man wissen muss« aufgefüllt. Habe ich mit Gewinn gelesen. Hat vieles aufgefrischt. Gilt unter Intellektuellen aber als peinlich. Weiß man doch alles. Stimmt aber meist nicht.

DIE OBERSCHLAUEN TYPEN MIT DEM HERABLASSENDEN GRINSEN KOCHEN AUCH NUR MIT WASSER.

Was man Schwanitz vorwerfen kann, ist allerdings, dass bei ihm die Naturwissenschaften nicht zur Bildung gehören. Geht natürlich nicht. Aber da habe ich auch was für Sie, wenn Sie da was nachzuholen haben. Der Autor heißt Ernst Peter Fischer und sein Buch »Die andere Bildung. Was man von den Naturwissenschaften wissen sollte«. Lesenswert und beileibe kein schlichtes Werk. Ich habe nicht alles kapiert.
Was aber nichts heißen will – ich war in diesen Dingen schon in der Schule immer der Depp!

Grandfather
Flash

Manchmal sitzen wir alten Säcke auf dem Sofa und blättern in Fotoalben. Und dann sehen wir uns, damals im Urlaub mit den noch kleinen Kindern. Jünger, frischer und auch witziger. War das herrlich! Wir machten die blödesten Witze, und unsere Kids lachten sich schlapp. Wir torkelten als Monster durch ihre Zimmer – und die Kids schmissen sich weg vor Freude. Und dann erst die Kissenschlachten: strategisch anspruchsvolle Actionhöhepunkte so manchen Wochenendes. Klar, wir neigen alle zur Verklärung, aber die meisten von uns glauben, diese Lebensphase mit kleinen Kindern sei einfach die beste Zeit gewesen.

TJA, UND JETZT SIND DIE KLEINEN VON DAMALS BEI DEN MEISTEN VON UNS SCHON FAST ERWACHSEN UND FINDEN UNS UNCOOL.

Aber genau hier liegt die Chance. Natürlich nicht, dass die Kids uns uncool finden. Nein, dass sie älter werden und – wenn alles gutgeht — eines Tages selber Kinder bekommen werden. Und dann schlägt unsere Stunde. Mag das meiste auch erlebt sein — jetzt können wir Opa werden.

Nicht lachen. Nicht protestieren. Hört sich erst mal seltsam an. Nach Altersheim und so. Egal. Es dauert ja auch noch etwas, aber wir sollten uns wirklich drauf freuen!

Denn: Viel Neues kommt ja nicht mehr.

ABER DAS OPASEIN IST WIRKLICH NOCH MAL EIN HÖHEPUNKT.

Ich habe mich bei noch älteren Säcken diesbezüglich informiert. Und die, die sich darauf eingelassen haben und das Großvater-Ding erst mal nahmen, sagen alle: verdammt gute Sache, das. Denn als Opas tut sich uns wieder ein gigantisches Spaß-Universum auf. Und das Beste daran ist: All die unangenehmen, nervigen, anstrengenden Dinge müssen unsere Kinder, also die Eltern der Enkel, machen und nicht wir.

Also nix mit nächtelang wie ein Zombie durch die Wohnung torkeln, um Schnuller in schreiende Mäuler zu stopfen. Keine Kinder um zwei Uhr früh wickeln, die ordentlich einen in die Windeln gebretzelt haben. Das machen die Mama und der Papa. Opa kommt mit Oma zu Besuch und ist fürs Quatsch-Machen da.

Schon sehr bald nach der Geburt unserer Enkel geht es los.

JEDER WARTET SEHNSÜCHTIG AUF DAS ERSTE LÄCHELN, UND WIR ALTEN, ERFAHRENEN BABY-FLÜSTERER, WISSEN NATÜRLICH, WAS ZU TUN IST.

Wir fangen also an, seltsam zu reden, zu girren und zu giggeln und Grimassen zu schneiden.

UND IRGENDWANN KANN DER KLEINE MENSCH DA IN DER WIEGE EINFACH NICHT MEHR ANDERS UND MUSS GRINSEN, BEI ALL DEM RUMGEHAMPELE UND RUMGEFLÖTE.

Tja, und so geht es dann erst mal weiter. Nichts ist herrlicher als ein grinsendes Baby. Also wird weitergegiggelt und grimassiert. Und schließlich fängt der ja extrem lernfähige Nachwuchs seinerseits an, Späße zu machen.

IST JA AUCH EIN SCHÖNES GEFÜHL, MIT EIN PAAR SIMPLEN SCHERZEN DIE ALTEN DAZU ZU BRINGEN, SICH VOR LACHEN FAST IN DIE HOSE ZU MACHEN.

Ja, und schon sind wir drin im gigantischen Spaß-Universum.

Wenn man denn will. Einige von uns alten Herren meinen, dieses wechselseitige Rumkaspern sei irgendwie unreif und nur in Ausnahmefällen erlaubt. Diese Haltung ist aber zum Glück kürzlich vom UN-Sicherheitsrat für gefährlich und dem Weltfrieden abträglich erklärt worden.

Kommen wir zurück zur intrafamiliären Komik. Natürlich sind auch Omas für das Quatschmachen unerlässlich. Aber da sie ohne Zweifel dem vernünftigeren Geschlecht angehören und das »Kind im Manne« ja schon sprichwörtlich ist, eignen sich Opas (okay, und auch die Väter) besonders für diese Aufgabe. Man muss sich ihr nur mit allen Konsequenzen stellen. Und das heißt:

HABEN SIE KEINE ANGST, SICH ZUM AFFEN ZU MACHEN!

Lassen Sie das Kind in sich, den durchgeknallten Kerl von früher einfach wieder raus. Und Sie werden sehen: Es ist klasse!

Es ist sogar befreiend. Stellen Sie sich beim Spielen mit Ihren Enkeln zum Beispiel einfach mal vor, Ihr Chef käme ins Zimmer. Und dann rufen Sie: »Da kommt ja ein Ork. Und was für ein ekliger!« Und dann muss das Monster mit Grimassen, üblen Beleidigungen und anderen Maßnahmen aus dem Zimmer getrieben werden. Die Kinder werden begeistert mitmachen, und Sie werden ein Gefühl der Erleichterung, der Katharsis haben.

WOZU FÜR SELBSTFINDUNGSSEMINARE IRGENDWO IM WALD VIEL GELD AUSGEBEN, WENN ZU HAUSE DIE INNERE REINIGUNG PRAKTISCH NEBENBEI ERFOLGT?

Aber wir haben vorgegriffen – Enkel, die in Wort und Tat Monster vertreiben können, sind ja schon große Kinder.

Dabei dürfen wir aber das ungeheure Humorpotenzial von Kleinkindern keinesfalls unterschlagen. Zum Beispiel die wunderbaren Telefongespräche mit Ihnen.

Bei mir war das früher so: Irgendwann klingelte im Büro das Telefon. Ich nahm ab, meldete mich, aber niemand richtete das Wort an mich. Nur schweres Atmen war zu hören. Ein Triebtäter? Nein, einer meiner Söhne war am anderen Ende der Leitung, weil meine Frau meinte, ein wenig väterlicher Zuspruch könnte den Kleinen über die eine oder andere Meckerphase hinweghelfen. Nun sprachen die beiden bei diesen telefonischen Erstkontakten aber sehr wenig (»Abba? Atta? Uggel?«), weil es ja eine wahrlich komplizierte kognitive Leistung ist, die Stimme des Vaters mit einem knochenähnlichen Plastikdings in Verbindung zu bringen.

Aber im Laufe der Zeit wurden aus eher einseitigen Monologen mit quälend langen Pausen wunderbare kleine Gespräche, die mir oft über den Büroärger hinweghalfen.

ICH KANN NUR JEDEM RATEN, AN FIESEN TAGEN IM JOB ODER DER SENIOREN-TANZGRUPPE EINFACH MAL MIT SEINEN ENKELN ZU TELEFONIEREN.

Das rückt einiges wieder zurecht und zeigt, was wirklich wichtig ist. Hier ein Beispiel für eine gelungene telefonische Gesprächseröffnung:

Opa: »Hallo, hier ist Opa!«

Enkel: »Hallo, Opa!«

Opa: »Was machst du so?«

Enkel: »Ich telefonier!«
Kann ein Gespräch schöner anfangen?

Kommen wir zur direkten Interaktion. Das Rumtoben mit dem Enkel,
Opa als Monster, Eisenbahn, Hund, Affe oder sonst was, ist für den
Opa ein ungeheurer befreiender Spaß nach all dem Rumgesitze im
Job (oder Altersheim, ähmm).
Ein ganz besonders großartiges Spiel früher bei uns Hause kann ich
allen zukünftigen Opas sehr empfehlen. Es heißt »Raufdrücken und
runterfallen«. Der Opa hockt sich dabei wie ein Pferd aufs Bett, eine
Decke wird über ihn geworfen, ein Kind wälzt sich auf den Vater-
Opa-Gaul. Drückt dann mit dem kräftigen Ausruf »Biep« auf einen
imaginären Schalter, und der Vater/Opa muss nun wie beim Rodeo
das Kind durch Herumgehopse abwerfen. Ein gigantischer Ankom-
mer, der mit meinen Kindern bis zu einer Viertelmillion Mal wieder-
holt werden musste.
Großartig auch das Spiel, bei dem sich die Jungs in ihrem Zimmer
verstecken und der Opa scheinbar ahnungslos in dasselbe kommt.
Die Aufgabe der Kids: den Alten aus dem Hinterhalt zu überfallen
und fertigzumachen. Ein grandioses Spiel, das einen körperlich fordert und die Sinne schärft.
Im Laufe der Zeit kristallisieren sich im Idealfall zwei humoristische
Grundlinien heraus. Die Großeltern bespaßen bei ihren Besuchen
(oder wenn sie die Enkel zu Hause bei sich haben) diese als freiberuf-
liche Komiker und fühlen sich dabei wie in einer Frischzellenkur, und
die Enkel unterhalten ihre Großeltern im Gegenzug mit Späßen jeder
Art.
Oft unfreiwillig. Aber das ist dann besonders lustig.

INSBESONDERE DIE SPRACHENTWICKLUNG DER KLEINEN IST JA EIN STÄNDIGER QUELL ALLERGRELLSTER WITZE. VORAUSGESETZT, MAN NIMMT SICH DIE ZEIT, SICH MIT SEINEN NACHKOMMEN ZU UNTERHALTEN.

Anfangs ist das Ganze ein herrliches Ratespiel. Wissen Sie zum Beispiel, was »Dindoiras« sind? Ganz einfach: Dinosaurier in der Diktion eines Zweijährigen. Und »Meerdschen-dschen« heißt Meerschweinchen. Später dann kann man herrliche Gespräche führen. Einmal fragte mich mein Sohn Hannes, ob »Günter Jauch auch bei dem Sportverein mit den fünf Ringen« mitmacht. Er wollte wissen, ob Jauch Olympiakommentator ist.

Enkel zu haben und sich mit ihnen in ihrer Welt zu bewegen, ist also nicht nur ein wesentlicher Bestandteil notwendiger großelterlicher Zuwendung, sondern auch eine Art kostenloser Verjüngungskur.

WENN MAN ES ERSTMAL SCHAFFT, DEN HINTERN HOCHZUKRIEGEN, BIETEN SICH EINEM UNGEHEURE MÖGLICHKEITEN. GERADE ALS MANN. ICH SAGE NUR »SPIELZEUG«.

Stundenlang können wir wieder durch die Spielwarenabteilungen von Kaufhäusern streifen, die Zusammensetzung der Gabentische für Geburtstage oder Weihnachten akribisch durchplanen, uns an Ritterburgen oder Eisenbahnen ergötzen, um diese dann zu Hause mit unseren Enkeln in abenteuerlichen Szenarien in der Wohnung zu verbauen, während unsere eigenen, erwachsenen Kinder Essen machen oder Kaffee kochen. Ein Heidenspaß!

Besondere Freuden können Sie – wenn Sie die Kapitel in diesem Buch über Fitness beherzigen – auch auf Jahrmärkten, Abenteuerspielplätzen und in Schwimmbädern haben. Herrlich, als agiler Greis erneut den Thrill von riesigen Wasserrutschen, Hüpfburgen, Gruselachterbahnen und Klettergerüsten kennenzulernen.

ICH WILL SPÄTER JEDES WOCHENENDE UNTERWEGS SEIN UND DIE GESAMTE RENTE IN VERGNÜGUNGSPARKS AUF DEN KOPF HAUEN. JA, DAS WERDE ICH.

Volles Rohr. Weil's einfach klasse ist – und mich jung halten wird. Und deshalb rufe ich allen alten Säcken zu:

FREUT EUCH AUF DAS OPASEIN. LASST UNS ALS »CRAZY GRANDFATHERS« VERRÜCKTE DINGE TUN, BIS WIR LACHEND IN DIE KISTE FALLEN.

Ist besser, als vergnatzt fernzusehen und dabei Schwarzwälder Kirschtorte zu essen.

Wir lassen bitten

EIN PAAR OFFENE WORTE

AN DIE TYPEN VON DER WERBUNG

UND DER KULTURINDUSTRIE

Es gibt ja diese berühmte werberelevante Zielgruppe der Vierzehn-
bis Neunundvierzigjährigen. Ich habe ja schon erwähnt, dass es ein
seltsames Gefühl ist, dort ab fünfzig sozusagen rauszufallen, nicht
mehr wichtig zu sein, nicht mehr umworben zu werden. Ich bin nicht
der Erste, der das sagt, aber ich muss es hier noch mal tun.

**DIESER GANZE QUATSCH, DASS LEUTE ÜBER FÜNFZIG
NICHT MEHR DURCH WERBUNG ZU ERREICHEN SEIEN
UND NICHT MEHR UMWORBEN WERDEN MÜSSTEN,
IST NATÜRLICH VOLLKOMMENER UNSINN.**

Und zudem noch ruinös. Denn wir alten Säcke, wir haben doch die
Kohle, haben eine Menge Arbeitsjahre hinter uns, und viele von uns

141

haben es einigermaßen gut hingekriegt. Die Kinder sind aus dem Haus, und wir können konsumieren. Und viele von uns wollen das auch ganz gerne – allein, man lässt uns nicht richtig.

Nehmen wir das Beispiel Kino. Meine Frau und ich gehen gerne am Wochenende mit Freunden ins Kino. Wir haben vorher vielleicht von dem einen oder anderen interessanten, hoch gelobten Film gehört und meinen: Den müssen wir sehen.

Dann gucken wir ins Programm und gucken und gucken, und falls wir ihn überhaupt noch finden, finden wir ihn in Kinos mit Namen wie »Luke 8« am Stadtrand, Beginn 22.45 Uhr.

Das ist wirklich ein Problem. Vernünftige Filme, die man sehen will, laufen so kurz oder an so unattraktiven Orten, zu so unattraktiven Zeiten, dass man gar keine Lust hat, hinzugehen oder es gar nicht erst schaffen kann.

Die Kinos heute sind verstopft mit vermeintlichen oder tatsächlichen Blockbustern, Teeniefilmen, wie »High School Musical« 1–5000.

UND GUTE, ANSPRUCHSVOLLE FILME FÜR LEUTE UNSERES ALTERS GIBT ES IMMER SELTENER ODER SIE WERDEN, WIE EBEN GESCHILDERT, VERSTECKT.

Und wenn wir dann doch den neuen Bond-Film gucken, müssen wir etwa eine halbe Stunde Werbung, Eisverkauf, Lärm und den alles überdeckenden süßlichen Fettgeruch des Popcorns über uns ergehen lassen, bevor wir dann endlich den Film sehen können – wenn wir ihn denn in Ruhe sehen können. Denn nicht selten grölen, furzen, rülpsen oder kichern irgendwelche Idioten und stören den ungetrübten Kinogenuss.

Das ist gar kein Generalvorwurf an die heutige Jugend. Viele von denen sind ja selber genervt, dass manche Altersgenossen mit dem zwanghaften Hang, andere unterhalten zu müssen, den Kinobesuch zur Belastungsprobe für die Nerven machen. Ich will mit dieser Hasstirade auch nur appellieren an die Kinobesitzer und alle, die mit Film zu tun haben: Schafft für die Leute ab fünfzig endlich wieder vernünftige, annehmbare, kultivierte Kinos mit guten Leinwänden und gutem Ton.

GEBT UNS SAUBERE LICHTSPIELHÄUSER, OHNE DIESES VERDAMMTE POPCORN. VON MIR AUS AUCH MIT WERBUNG, DENN VON IRGENDETWAS MUSS MAN JA LEBEN. ABER SCHIEBT EUCH EUER EISKONFEKT SONST WO HIN.

Den dadurch fehlenden Gewinn würden wir ausgleichen: Ich möchte mal behaupten, die meisten von uns sind durchaus bereit, auch  einen Euro mehr zu bezahlen für einen vernünftigen, ungetrübten Kinogenuss. In allen größeren Städten gibt es ja zwei, drei solcher Kinos, und denen scheint es auch nicht schlechtzugehen. Die Kids, gegen die ja gar nichts zu sagen ist, die sollen sich dann bitte in den Multiplexen mit 18 verschiedenen Sälen amüsieren.

So, ich glaube, ich schwoff etwas ab: Am Anfang habe ich ja von der werberelevanten Zielgruppe gesprochen — 14 bis 49 — und erzählt,

144

dass wir Oldies ja nun über die finanziellen Mittel verfügen, um diesem daniederliegenden Land vielleicht zu etwas mehr Aufschwung zu verhelfen.

ABER, VERDAMMT NOCH MAL, WIR WOLLEN AUCH UMWORBEN, WIR WOLLEN ZUMINDEST *ANGESPROCHEN* WERDEN.

Wir sind nicht auf Marken festgelegt mit fünfzig Jahren, wie man sich das so früher vorstellte: einmal »Tchibo-Kaffee«, immer »Tchibo«, einmal »Chanel No. 5« – das hält dann zehn Jahre, und nie wieder etwas anderes. Nein: Auch wir sind an Technik, an Mode, an Unterhaltung, was auch immer, interessiert – und nicht nur an Treppenliften und Prostata-Pillen. Ihr solltet die Produkte dann nur so gestalten, dass sie uns »Middle-Agern« auch gefallen und von uns zu gebrauchen sind.

NICHTS GEGEN KLEINE HANDLICHE GERÄTE, WIE HANDYS ODER MP3-PLAYER. ABER VIELE VON UNS TRAGEN NUN MAL BRILLEN, UND WENN WIR UNS FÜR DEREN BEDIENUNG EINE FEINMECHANIKERLUPE ODER SO EIN CHIRURGENINSTRUMENT AUFSETZEN MÜSSEN, DANN STIMMT IRGENDWAS NICHT.

Und im Übrigen: Vielleicht spreche ich da nicht für jeden, aber Multifunktionstasten – also Tasten, die mit komplizierten Spreizgriffen irgendwie fünf bis acht verschiedene Funktionen haben – sind auch nicht der Weisheit letzter Schluss.

So, jetzt habe ich mich hier ausgekotzt, aber das musste mal sein. Und ich prophezeie auch, dass in einigen Jahren – wenn es nicht längst schon so weit ist – wir Mittelalterleute zur wichtigsten, zur bestimmenden Zielgruppe dieses Landes werden. Leute zwischen fünfundvierzig und fünfundsiebzig sind heute fit, sportlich, interessiert, aufgeschlossen, kaufkräftig und wollen von der Werbeindustrie, von der Kulturindustrie, von allen, die etwas anzubieten haben und unser Geld wollen, umworben werden.

WIR WOLLEN LEISTUNGEN, EIN VERNÜNFTIGES ANGEBOT, NIVEAU UND KEINE MASSENABFERTIGUNGEN.

Und, ja, wir wollen auch gelegentlich unter uns sein – im Kino zum Beispiel. Und das muss doch möglich sein, dass man in einem Kino etwas Nettes essen und in stilvollem Ambiente etwas trinken kann und sich anschließend gemeinsam einen Film anguckt, ohne wegen des Verhaltens seiner Mitguckenden Gewaltfantasien entwickeln zu müssen.
Also: Weg mit Werbung für Treppenlifte und Erwachsenenwindeln. Zeigt uns die guten, scharfen, klasse Sachen, die wir kaufen wollen.

DENN SONST KRIEGT IHR EINFACH NICHT, WAS IHR HABEN WOLLT UND WAS IHR SO DRINGEND BRAUCHT – UNSERE KOHLE.

Einfach mal die Fresse halten!

So, Männer: Wir sind jetzt also im besten Alter. Eine gewisse Gesetzt-
heit, ein ordentliches Quantum Lebenserfahrung dürfen jetzt vorausgesetzt werden.

WIR SOLLTEN JETZT COOLER WERDEN.

Vor allem, wenn es um Auseinandersetzungen geht: privat und vor
allem im Job. Aber — wir hatten das schon — die meisten von uns

sind im Grunde immer noch die alten Kindsköpfe
von früher: reizbar, schnell beleidigt, empfindlich wie Hulle! Macht uns einer an, kommt uns
einer dumm — reagieren wir sofort und motzen
zurück. Und hinterher ärgern wir uns. Weil's
unsouverän war. Weil's etwas überlegter
besser funktioniert hätte etc.

147

WENN SIE SICH JETZT FRAGEN: WAS WILL UNS DER AUTOR UM HIMMELS WILLEN SAGEN? WAS SOLL DAS GEFASEL? DANN, JA DANN HABE ICH SIE! WIEDER ZU FRÜH REAGIERT. ERST GEMOTZT UND DANN NACHGEDACHT.

GENAU DARUM GEHT ES.

Also, ich will Ihnen einen Rat geben, der stammt nicht von mir, sondern von einem Freund. Der ist auch schon über fünfzig, hat sich immer über alles total aufgeregt. Echt ein Typ mit sehr kurzer Zündschnur. Nennen wir ihn Horst. Ja, und irgendwann hat Horst Magenschmerzen wegen all dieser Sachen bekommen. Zu viel Ärger. Zu viel gemotzt.

Und dann hat er mal was versucht, was erstaunlich gut geklappt hat. Er hat, wenn es Ärger und Auseinandersetzungen gab, erst einmal *einfach nur die Fresse gehalten*. Und geguckt. Mit stoischer Miene. Und überlegt, was man zu dieser oder jener Unverschämtheit sagt.

Und wissen Sie was? Das hat in ungefähr achtzig Prozent der Fälle super funktioniert. Die Leute wurden unsicher. Fingen an, sich von selber zu rechtfertigen, sich zu entschuldigen, konnten seinem Blick nicht standhalten. Oder das Schweigen nicht ertragen. Seitdem hält Horst häufiger den Mund und guckt.

DIESES GUCKEN, GEPAART MIT GRAUEN SCHLÄFEN UND EINEM MÜDE-GELANGWEILTEN, TADELNDEN BLICK SYMBOLISIERT DIE WEISHEIT UND ÜBERLEGENHEIT DES ALTERS.

148

Scheißegal, ob wir wirklich überlegen oder weise sind – es zählt nur die Wirksamkeit dieser Methode. Sie ist universell anwendbar. Auch zu Hause. Nehmen wir mal an, ihr Sohn hat Ihnen eine Beule ins Auto gefahren oder er präsentiert Ihnen ein Zeugnis, in dem »Versetzung gefährdet« steht. Nicht »Das zahlst du« brüllen oder »Und ich habe immer gesagt, du musst mehr für die Schule tun, verdammt noch mal«.

Neiiiiin – schweigen und gucken. Dann wird der Bursche sagen: »Aber ich zahl das selber, Papa« oder »Ich tu jetzt echt mehr für die Schule und nehm Nachhilfe.«

Und dann brauchen Sie nur noch die Brille abnehmen, sie mit langsamen Bewegungen zu putzen beginnen, und dann sagen Sie: »So ist es recht, mein Junge.«

SCHLIESSLICH SIND SIE SO WAS WIE EIN ELDER STATESMAN UND HABEN DIESE EMOTIONALEN SCHNELLSCHÜSSE NICHT MEHR NÖTIG.

PS: Ausnahmen sind natürlich, wenn jemand Sie vor anderen unannehmbar bloßstellt oder grob beleidigt. Dann müssen Sie sofort reagieren und sagen: »Wenn Sie mit diesen gutturalen Würg- und Brechlauten fertig sind, können wir ja wieder zum vernünftigen Gespräch zurückkehren.«

Das ist auch super. Funktioniert aber nicht so gut in der S-Bahn, wenn Sie ein Besoffener anpöbelt.

Das Theater

EINE HERAUSFORDERUNG

FÜR DEN ALTEN SACK

Ich möchte in diesem Kapitel einmal eine Lanze für das Theater brechen. Ins Theater zu gehen ist für viele Leute ja unfassbar out. Über so was liest man Unverständliches in den Feuilletons. Theater – das klingt für die allermeisten Leute anstrengend und ist eigentlich nicht relevant. Die gehen dann lieber ins Kino. Mein Vater sagt immer: »Früher, Junge, da gab es gutes Theater. Aber heute? Da pinkelt ein Nackter bei ›Hamlet‹ in SS-Uniform vom Panzerwagen und spricht dann den berühmten Monolog auf Serbisch. Das ist nicht mehr meine Welt.«

Ich sage hier meinem Vater (und auch Ihnen, falls Sie seiner Meinung zuneigen): Papa, das ist übertrieben.

ES GIBT IMMER NOCH EINE MENGE ZU ENTDECKEN IM THEATER.

Okay, die nackten, pinkelnden oder spuckenden Schauspieler auf der Bühne sind heute sozusagen Standard. Allerdings werden seit einigen Jahren statt Nackter vermehrt Leute mit E-Gitarren und

Hartz-Vier-Empfänger eingesetzt. Aber zugegeben – in etwa jeder zweiten Aufführung zieht eine/r blank, rotzt, pinkelt oder wird unflätig. Aber, hey, wen stört das noch?

IN JEDER RTL-TALKSHOW GEHT ES HEUTE HÄRTER ZU.

Schluss mit den Klischees. Fangen wir besser mal ganz von vorne an. Warum sollte man wieder ins Theater gehen? Ich gehe mal von mir und meiner Frau aus. Wir haben durchaus Freude daran, uns schön was im Fernsehen anzugucken, den »Tatort« zum Beispiel. Das unterhält (ab und zu), das berieselt, das ist auch völlig in Ordnung, dazu gibt es Bier und Schnittchen, und man will am Wochenende ja auch, dass es nicht allzu anstrengend ist.

Aber wir wollen uns eben nicht nur berieseln lassen, sondern die Birne am Laufen halten, ohne gleich Gehirnjogging-Freaks zu werden. Und dabei können Theaterbesuche helfen.

THEATER HAT EINFACH WAS BESONDERES.

Man hat dieses einzigartige Live-Erlebnis, man sitzt mit anderen Menschen gemeinsam zusammen, in gespannter Erwartung, was da jetzt passieren wird. Vorne auf der Bühne findet etwas statt, man beobachtet das, man muss es nicht mögen, aber man lässt es auf sich wirken, versucht es zu verstehen. Das ist heute im Theater gar nicht so einfach. Aber bevor ich jetzt zu den Problemen komme, erst mal zu den positiven Dingen.

Ich habe gerade neulich in einem Artikel eines Hirnforschers gelesen, dass es nicht nur darum geht zu lesen, sondern über das Gelesene auch zu reden, sich mit anderen auszutauschen, zu überlegen, wie man das Ganze findet und wie man es interpretiert etc. Das alles aktiviert mehrere Gehirnregionen.

Das Theater bietet uns die gleiche Möglichkeit. Wenn man denn will.

ERST EINMAL SETZT MAN SICH HIN, ZIEHT SICH DAS REIN UND MUSS IM GRUNDE VORERST GAR NICHTS MACHEN.

Man kann auch einschlafen, wegdösen – oder denken »Mann, was für eine Scheiße«. Oder aber, man versucht sich zu fragen, was soll das Ganze hier? Was will mir der Regisseur sagen? Was der Autor? Wie ist das umgesetzt – schlecht oder gut? So was lässt die grauen Zellen arbeiten. Und das vor allem dann – wie wir gerade gelernt haben –, wenn wir mit anderen darüber reden. Kann ja entspannt bei einem Glas Wein sein.

DARÜBER HINAUS IST SO EINE VORSTELLUNG IM GÜNSTIGSTEN FALL AUCH NOCH EIN BEEINDRUCKENDES, SINNLICHES ERLEBNIS.

Jetzt ist es aber im Theater so, dass man, sagen wir, rund zehnmal hingehen muss, um vielleicht ein, zwei gute Stücke zu sehen. Es ist also ratsam, sich vorher mehrere Kritiken durchzulesen. Aber ich meine, dass auch ein misslungenes Stück und die Diskussion darüber, warum man es denn nun so beknackt findet, durchaus lohnend sein können. Egal, wie wir das Stück am Ende finden: anregend ist ein Theaterbesuch fast immer. Und wenn er uns nur anregt, uns begründet aufzuregen.

Man sollte als Theaterneuling oder Wiedereinsteiger keine Berührungsängste haben, sondern beherzt einfach wieder bei null anfangen. Sinnvoll ist auf jeden Fall, sich mit dem jeweiligen Stück vorher vertraut zu machen. Denn in Theatern der großen Städte wird heute fröhlich an den Stücken herumgebaut, auf wildeste Weise interpretiert und so manches auf den Kopf gestellt.

DIE REGISSEURE GEHEN GRUNDSÄTZLICH DAVON AUS, DASS DER ZUSCHAUER DAS STÜCK KENNT, UND DANN WEISS, WO ETWAS GEBROCHEN, VERÄNDERT, IRONISIERT, ODER WAS AUCH IMMER, WIRD.

Also, machen Sie vorher Ihre Hausaufgaben, und dann rein ins Theater.

Ach, eines noch — wenn man sich dann doch langweilt in dem Stück und Angst hat, da jetzt so peinlich wegzunicken: keine Panik — irgendwer fängt auf der Bühne nach ein paar Minuten immer an zu brüllen oder zu schießen oder schmeißt einen vollen Bierkrug quer über die Bühne. Da werden Sie sofort wieder wach. Hab ich erst gestern Abend gesehen (und gehört — hat ordentlich gekracht). Das ganze Theater roch nach Bier. Ich hab dann richtig Durst bekommen.

Schimpfwörter, Erwiderungen und Abkanzel-Sprüche

FÜR LEUTE, DIE JÜNGER SIND

ALS MAN SELBST

PIMPF!

FEUCHTOHR!

ROTZLÖFFEL!

KEINE HAARE AM SACK, ABER IM PUFF DRÄNGELN.

ANFÄNGER!

BURSCHE, SO GEHT DAS NICHT.

TSS.TSS ... WAS FÜR EIN JUGENDLICHER LEICHTSINN!

TUT MIR LEID, FÜR JUGENDLICHE NICHT GEEIGNET.

DAS HAB ICH SCHON GEKANNT/GEMACHT, ALS DU NOCH WOLLE AUS'M TEDDY GEZUPFT HAST

BÜBCHEN!

SCHLINGEL!

SÜÜÜSS!

ACH, JUNGCHEN!

LAUSEBENGEL!

FRECHDACHS!

RUHIG, BRAUNER!

JUNGWÄHLER!

KNIRPS!

DU MUSST NOCH VIEL LERNEN!

SITZ!

ROTZGÖRE!

WICHT!

FRISCHLING!

LEICHTMATROSE!

KACKSTELZE!

RETORTENBABY!

HOSENMATZ!

LAUSBUB!

SPUND!

NICHT SO AUFGEREGT, JUNGER MANN!

STEPPKE!

FICKFEHLER! *(nur bedingt einsetzbar)*

Spielen Sie Luftgitarre?

Wenn Sie jetzt so um die fünfzig sind, haben Sie in Sachen Musik die gute, alte Zeit noch erlebt. Zum Beispiel diesen besonderen Spreizgriff am Kassetten-Recorder, wenn man die Vorwärts- und Aufnahmetaste und dazu die Pausentaste gedrückt hielt, um bei »Musik für junge Leute« im Radio nach der Schule seine Lieblingssongs mitzuschneiden. Wie hassenswert waren Verkehrsdurchsagen mitten in einem Deep-Purple-Song oder launige Gags des Moderators, wenn das Schluss-Solo von Jimmy Page doch noch lief.

MUSIK, UNSERE MUSIK, WAR NOCH MANGELWARE.

Kaum im Radio zu hören, die Schallplatten teuer, die Eltern kopfschüttelnd distanziert. Aber für uns damals war die Rock- und Popmusik Aufbruch, Rebellion, Enthusiasmus, Sex, Lebensgefühl. Warum ich Ihnen das jetzt erzähle? Weil wir heute – gerade heute – als alte Säcke ab und an ein bisschen dieses besondere Gefühl von früher wieder brauchen. Und das ist gar nicht so einfach. Denn jüngere Menschen und auch viele Leute in unserem Alter rümpfen die Nase, wenn wir bekennen, wen wir früher toll fanden. Dann werden wir als Fossile beschimpft, als Altrocker belächelt. Damit, meine Damen und Herren, ich will es hier ganz deutlich auch im Namen des Vorstands sagen: Damit muss jetzt Schluss sein!

LASSEN WIR UNS VON NIEMANDEM VORSCHREIBEN, WAS ZU HÖREN IST UND WAS COOL GEFUNDEN WERDEN DARF.

Kauft euch die alten Platten auf CD wieder, setzt euch mit einem Bier und Kopfhörern hin und hört laut, was ihr mochtet: Suzie Quatro, Slade, The Sweet, The Faces, Deep Purple, Pink Floyd, Santana, The Who – was auch immer. Dazu sollten Sie Luftgitarre spielen. Unbedingt. Wie damals, als Sie allein in Ihrem Jugendzimmer mit einem Federballschläger in der Hand die Einstiegssequenz von »I'm Going Home« von Ten Years After simulierten und sich dabei vorstellten, Sie wären Alvin Lee und Corinna aus der 9 b säße vorn in der ersten Reihe und himmelte Sie an. Wow!

GANZ GROSSE GEFÜHLE. KANN MAN SICH MAL GÖNNEN UND DANACH WIEDER SERIÖS WERDEN.

Mut zur Mucke! Ich lass mich von keinem mehr anmachen, weil ich Cat Stevens mochte, verdammt!

Sugardaddy lässt grüßen

JUNGES GEMÜSE IST ZU MEIDEN

Tja, kommen wir zu einem heiklen Thema: den Reizen jüngerer Frauen. Wenn Sie in keiner funktionierenden Beziehung leben oder Single sind, werden Sie ja sicher – wie alle Männer in diesen Situationen – mehr oder weniger auf der Suche nach einer neuen Partnerin sein.

JA, UND DANN SEHEN SIE DA SO ÜBERALL DIESE JUNGEN DINGER.

So Mitte zwanzig, knackig und selbstbewusst. Zum Beispiel diese Praktikantin mit den großen ... äh ... Augen, die noch studiert. Und Sie haben im Kino gesehen, dass Richard Gere und Kevin Costner bei solchen Mädels auch zum Zug kommen. Und Sie denken: Die lacht mich immer so nett an, und man könnte doch mal ... Mooooment.

ICH SACH NUR: LASSEN SIE DAS. BRINGT NUR ÄRGER.

Und mal ehrlich: Wie sieht denn das aus? Fünfzigjähriger Faltenbock mit junger, erblühender Schönheit. Da stimmt was nicht. Klappt auch selten.

MAN MACHT SICH ZUM AFFEN UND KANN SOWIESO NICHT MITHALTEN.

Ich weiß das von einem Kumpel. Der hat eine zwanzig Jahre jüngere Frau geheiratet. »Bombe im Bett«, meinte er am Anfang und grinste überlegen. Nach einem Jahr war der Mann fertig. Seine Frau tanzte am Wochenende bis vier Uhr morgens, er wollte zu Hause schön ferngucken, mal ins Theater gehen oder sich mit guten Freunden treffen. Hat sie auch mal mitgemacht. Aber er musste auch mit zu abenteuerlichen Partys, schrillen Events und wurde für den Vater seiner Gattin gehalten. Nee, dat geit so nicht, sagen wir hier im Norden.

MAN MUSS JA NICHT GLEICHALTRIG SEIN. ABER DER MANN ÜBER FÜNFZIG SOLLTE IN SEINER GENERATION SUCHEN.

Viele tolle Frauen warten da. Man muss sie nur finden. Ich gebe zu: Das ist das Problem. Es gibt Millionen Singles — und alle wollen einen Partner. Doch sie finden nicht zueinander. Der Single ist umgeben von Paaren und dazu verdammt, allein ins Bett zu gehen, wenn die anderen sich aneinanderkuscheln. Früher, ja da ging man ja dauernd auf »Feten«, in Discos, zu Konzerten, und alle waren jung, und jeder poppte mit jedem (dachte man zumindest). Und heute wird man als Single eingeladen und dann sagen die Gastgeber:

»Leute, das ist Martin. Und Martin, das sind Ina und Dieter, Hartmut und Dörte, Klaus und Anne und das ist Ina ... ihr Mann kommt gleich.« Ja, und da soll man sich nun wundern, wenn der gebeutelte Best-Ager sich der drallen Praktikantin zuwenden will. Die hat wenigstens nicht ihren Freund am Fotokopierer dabei. Aber, ich sagte es bereits in deutlichen Worten, dass das keine Lösung ist.

DER SINGLE AN SICH UND VOR ALLEM DER ÜBER FÜNFZIG MUSS DAS HAUS VERLASSEN.

In Sportvereine gehen, tanzen lernen, Volkshochschul- oder Koch-kurse besuchen, aufgeschlossen sein und vor allem, wenn's irgend geht, einigermaßen gute Laune haben. Es gibt da eine legendäre Geschichte in Journalistenkreisen. Es heißt, dass eine junge, attrak-tive Kollegin einen balzenden alten, aber häufig vergnatzten Vor-gesetzten mit den Worten »Wer ficken will, muss freundlich sein« abfertigte.

Aber zurück zum Single in Nöten. Ich empfahl ja gerade allerlei Dinge. Der Knaller aber, so habe ich von gut unterrichteten Greisen erfahren, sollen Single-Gruppenreisen sein. Hört sich doof an, ist aber von Leuten, die ich kenne, als wirklich okay befunden worden. Sofern man die richtigen bucht.

SO MALLORCA-BUMS-EVENT-URLAUBE SIND NIX.

Empfohlen werden Aktivurlaube (Wandern auf den Kanaren, Kanu-trips im Norden, Kulturreisen), wo erst einmal andere Dinge als sofortige Verpaarungen im Vordergrund stehen und nicht jeder gleich mit dem imaginären Schild »Notgeil und einsam« auf dem Kopf ankommt. Meine Informanten versichern, dass schon das gemeinsame »Was-Unternehmen« klasse sei und wenn sich dann was entwickele, umso besser.

ALSO, FINGER WEG VON DER PRAKTIKANTIN.

Es sei denn, sie hat Ihr Alter.

Worüber sich alte Säcke aufregen

DIE SHIT-LIST

Zahnfleischschwund

Bandscheibenvorwölbung

Dauernd neue Lesebrille

Bauchvorwölbung

Lesebrille suchen

Junge Männer (voll im Saft)

Gleitsichtbrille aufgeschwatzt kriegen

Doppelkinn

Kurzatmig sein

Bindegewebsschwäche

Rettungsringe an der Hüfte

Jeden Tag rasieren

Hosen zu eng

Tränensäcke

Werbung für Sterbeversicherung

Wenn man das Licht ausmachen soll, obwohl man noch lesen will

Eine Frage gestellt kriegen, obwohl man sich gerade die Zähne putzt und nicht antworten kann

Kater nach Alkoholmengen, über die man früher nur herzlich gelacht hat

Sich für Mittagsschlaf entschuldigen müssen

Beim Arzt warten (nur Kassenpatienten)

Vom Arzt zusätzliche Untersuchungen (»in Ihrem Alter«) aufgeschwatzt kriegen (nur Privatpatienten)

Langatmige Reden anhören müssen

Von der eigenen Ungeduld genervt sein, verdammt noch mal!

Beim Autofahren häufiger als früher pöbeln

Wenn der »Tatort« mal wieder langweilig ist

Sich für seinen Film- oder Musikgeschmack »entschuldigen« müssen

Hämorrhoiden und Analthrombosen (kommt in den besten Männern vor)

Heuschnupfen kriegen, obwohl man früher nie welchen hatte (wird bei Leuten über 50 immer häufiger)

Bücher für »Männer in den besten Jahren« geschenkt bekommen (Ausnahme dieses hier)

WENIG HAARE OBEN, DAFÜR NEUE AUF DEM GROSSEN ZEH UND IN DEN OHREN

WENN EINE/R DEMONSTRATIV »... JUNGER MANN« ZU EINEM SAGT

WENN EINE/R »... IN IHREM ALTER« SAGT

Fleischmützen

DIE WENIGSTEN MÄNNER HABEN MIT FÜNFZIG NOCH VOLLES HAUPTHAAR.

Das ist einfach so. Hat mit Hormonen zu tun. Mehr als die Hälfte aller Herren werden schon Mitte dreißig kahler, und das hört dann leider nicht auf. »Fleischmützen«, wie der Volksmund die Glatze nennt, sind dann in der Lebensmitte absolut keine Seltenheit. Klar, da soll es Wässerchen und Tuben geben. Bis heute, so versichern mir Kenner, gibt es allerdings kein Mittel, das den erblich bedingten Haarausfall wirklich stoppen oder verhindern kann. Was bleibt also? Die Antwort ist einfach:

DAS GANZE MIT WÜRDE HINNEHMEN.

Keine doofen Toupets tragen, und vor allem keine Perücken. Hinten nicht lang wachsen lassen, und bitte keine Werber-Zöpfe.

UND VERGESST LAGERFELD – DER GILT NICHT.

Keine blutigen Haarverpflanzungen und niemals — und unter keinen Umständen — die gefürchteten Glatzenstreifen nutzen. Also Teile verbleibender Haar-Inseln zu Strähnen lang wachsen lassen und dann über die polierte Platte legen. Das sieht so was von ätzend aus. Erbärmlich! Lassen Sie das!

MUT ZUR PLATTE!

Stehen Sie zu dem, was in den Ausguss verschwunden ist. Ich selbst habe vorn eine beachtliche Fleischmütze. Hinten geht es noch. Auf der Kopfmitte ist eine Art Irokesenstreifen übrig. Ich kompensiere das etwas mit längeren Koteletten. Aber da muss man vorsichtig sein. Ich wurde schon gefragt, warum ich denn Schläfenlocken trüge.

NEIN, WIR MÄNNER OHNE MATTE MÜSSEN LERNEN, UNSERE HAARLOSIGKEIT MIT GELASSENER NONCHALANCE HINZUNEHMEN.

Tragen Sie Ihre Haare kurz, rasieren Sie sie gern in Gänze ab, aber lassen Sie das »Obenrum« nicht zum Thema werden. Es ist ja nicht zu ändern, und wir machen uns darüber viel mehr Gedanken als alle anderen.

DIE HAARE SIND WEG. DAS IST SO. BASTA.

Sean Connery hat auch keine mehr. Bruce Willis ist oben ohne. Kevin Costner lässt nach. Und diese Männer in den besten Jahren sind Sexsymbole, meine sehr verehrten Damen und Herren.

OHNEHIN SAGT MAN JA, WER OBEN WENIG HAT, SEI EIN HENGST IM BETT.

Ist Unsinn. Aber, hey – warum widersprechen? Lieber wissend gucken und sagen: »Könnte was dran sein, Leute« – und sich dann dabei lüstern über die Fleischmütze streichen.

Rüstige Rentner

DAS JOPI-HEESTERS-SYNDROM

Im letzten Urlaub waren wir wandern auf La Palma. Eine großartige Insel. Für jeden Wanderfreund ein Volltreffer. Moment, ehe ich weitermache und zum Kern dieses Kapitels komme, muss ich ein bisschen was zum Wort »wandern« sagen. Es klingt ziemlich blöd und spießig, vor allem in Kombinationen wie »Wanderfreunde«, »Wanderlieder«, »Wanderführer« oder »Wanderniere«. Aber es gibt leider kein anderes Wort in der deutschen Sprache, das das sportliche Gehen in der Natur angemessen umschreibt. Oder wissen Sie eines? Das englische »to hike« wäre eine Ausweichmöglichkeit. Das klingt aber bemüht cool und irgendwie auch doof: »Leute, wir waren neulich auf La Palma hiken. War echt klasse.«
Geht nicht, oder?
Nee, man muss leider »wandern« sagen, und das will ich jetzt auch weiter tun.

ALSO, ICH FINDE, DAS WANDERN IST EINE GANZ GROSS-ARTIGE SACHE FÜR ALTE SÄCKE UND IHRE GATTINNEN.

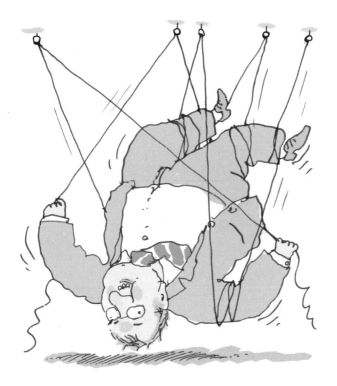

Man sieht atemberaubende Landschaften, hat größtenteils seine
Ruhe, hält sich fit und kommt bei guten, ausgiebigen Touren in eine
Art Flow, der einen beinahe beseelt ins Ferienquartier zurück schweben lässt. Klar, oft ist das anstrengend, aber so soll das ja auch sein.
Man kann sich ja schließlich nicht mit dem Bus zu einem Wasserfall
irgendwo in den Bergen fahren lassen. Und wenn das geht, ist das
da so überfüllt, dass man weinen möchte.
Also, wir sind da auf La Palma gewandert. Nach etwa einer Woche
fühlten meine Frau und ich uns schon ziemlich fit und machten

immer längere und exotischere Touren. Bei einer durch eine Art Urwald war ein Höhenunterschied von fünfhundert Metern zu bewältigen. Es ging mächtig steil einen steinigen Pfad hinauf. Anfangs ging es noch, aber dann, so nach zehn Minuten, kam ich nicht mehr so richtig mit. Die Beine waren wie Blei. Ich schwitzte. Der Atem ging kurz und röchelig. Ich wurde langsamer. Auch meine Frau war nicht mehr so dynamisch wie am Anfang. Wie zwei Soldaten auf dem Rückzug nach einer verlustreichen Schlacht schleppten wir uns zu der angeblich so traumhaften Aussichtsplattform weiter oben – viel weiter oben. Ein Schritt nach dem anderen. Es wird schon irgendwie gehen. Wasser. Ich will Wasser.

Dann ertönte hinter uns ein Pfeifen!

Es war ein Lied. Jemand pfiff »Raindrops keep falling on my head«. Ich sah mich um und sah zwei Gestalten zügig näher kommen.

Na ja, dachte ich. Wahrscheinlich zwei junge Bergsteiger. Um die zwanzig. Knackig und fit wie Mungo – und schleppte mich weiter. Das Pfeifen kam näher.

Komisch, dachte ich. Dass junge Leute so einen alten Gassenhauer pfeifen ...

Dann waren sie direkt hinter uns.

»'tschuldigung«, ertönte eine feste, befehlsgewohnte Stimme. Man wollte also, dass wir zur Seite traten und Platz machten.

Das taten wir dann auch.

Und an uns vorbei eilte ein rüstiges Rentnerpaar. Mindestens siebzig. Mit stahlharten Waden, ruhigem Atem, grauem Haar und lustigen Lachfalten – all over their faces!

ES WAR SO DEMÜTIGEND.

Wir — fünfzig und vierundvierzig Jahre alt — standen da, keuchend. Mit zittrigen Beinen und sahen rund zwanzig Jahre ältere Menschen zügig davonziehen. Schon nach wenigen Minuten waren sie nur noch eine undeutliche Silhouette in der Ferne.

»Ich brauche einen Zivi«, stöhnte ich und fiel in mich zusammen.

DAS WAR ZU VIEL. ES HÄTTE NUR NOCH GEFEHLT, DASS AUCH NOCH JOPI HEESTERS TRÄLLERND AN UNS VORBEI-GROOVT UND DABEI »ICH WERDE HUNDERT JAHRE ALT« TRÄLLERT.

Tja, und was heißt das jetzt?

Dass wir alle schlaff, alt und voll ungeil sind?

Nein, eigentlich will ich Ihnen und mir nur Mut machen. Später nämlich traf ich die Rentner oben auf dem Berg wieder und verwickelte sie in ein Gespräch. Ich beschloss ehrlich zu sein und gestand meine Gefühle von Scham und Wut.

»Grämen Sie sich nicht, junger Mann«, sprach der agile Altvordere und legte mir seine braungebrannte, wenngleich etwas faltige Hand auf die Schulter.

Und dann erzählte er mir, dass er selber mit fünfzig ebenso »fertig und untrainiert« gewesen sei wie ich. Ich überlegte kurz, ob ich ihm ob dieser drastisch formulierten Unverschämtheit eine in seine Best-Ager-Visage semmeln sollte, aber dann besann ich mich und beschloss, dem alten Herrn weiter zuzuhören. Also er erzählte, dass er mit dreiundsechzig Jahren frühzeitig in Rente gegangen sei und dann angefangen habe, zu wandern. Immer wieder, immer öfter. Und schließlich seien er und die Gattin immer fitter geworden.

BERGAUF, BERGAB – IMMER AN DER FRISCHEN LUFT, SOLIDE ERNÄHRUNG. DA BLÜHE MAN AUF. DAS GÄBE ORDENTLICH »TINTE AUF DEN FÜLLER«, WAS IMMER DER JOVIALE GREIS DAMIT AUCH MEINTE.

Ausgedehnte Fahrradtouren würden sie übrigens auch noch machen. Das hat mich am Ende dann doch sehr getröstet. Also, dass man es mit der nötigen Disziplin auch in fortgeschrittenem Alter Jüngeren noch zeigen kann. Ausreichend Zeit, ein paar finanzielle Rücklagen, gutes Schuhwerk, Kartenmaterial und eine gleichgesinnte Partnerin – und in fünfzehn Jahren würde ich beim Wandern auf La Palma auch Typen abhängen, die glauben, sie hätten's voll drauf mit dem Hiken.

PLATZ DA, IHR LUSCHEN, OPA SCHLENZ KOMMT!

Der innere Schweinehund

EIN GEFÄHRLICHER MANN

NAMENS GILBERT

In diesem Kapitel möchte ich mit Ihnen über den inneren Schweinehund sprechen. Wir alle kennen ihn, er ist ein guter Bekannter, ein täglicher Begleiter unseres Lebens, und er ist so ziemlich an allem schuld. Ob wir nun zu dick, zu besoffen, zu faul, zu feige oder zu ungelenkig sind – an allem ist irgendwie der innere Schweinehund schuldig, jene andere unangenehme, unbequeme Seite in uns.

WIR MÜSSEN UNS IHM STELLEN – GERADE WIR ALTEN SÄCKE –, DENN ER WIRD IM ALTER MÄCHTIGER UND GEFÄHRLICHER.

Wir wollen dem inneren Schweinehund jetzt schon einmal ein bisschen was Bedrohliches nehmen, indem wir ihm einen anderen Namen geben. Das hilft ja manchmal: den Dingen, die uns unangenehm sind, die wir nicht mögen, einen Namen zu geben. Vielleicht einen harmlosen, aber doch ein bisschen sonderbaren Namen, so dass er auch nicht zu anheimelnd und fröhlich wirkt.

ICH HABE BESCHLOSSEN, DEM INNEREN SCHWEINEHUND DEN NAMEN GILBERT ZU GEBEN.

Wir müssen uns mit Gilbert auseinandersetzen. Schon morgens wachen wir mit ihm auf. Gilbert ist derjenige, der sagt: »Oh, ungeil, ist das früh, ich bin so müde, und im Bett ist es so schön warm, draußen ist so ein Scheißwetter. Jetzt lass uns noch mal ein kleines bisschen liegen bleiben.«

Schon zu diesem Zeitpunkt ist es eigentlich nötig, Folgendes zu sagen: »Mensch, Gilbi, bleib du noch ein bisschen liegen, ich stehe auf. Was soll's, hinterher geht die Hetzerei los, und ich fühle mich wieder scheiße und bin genervt, wenn ich mit dem Auto im Stau stehe und nicht rechtzeitig ins Büro komme oder die Bahn verpasse.«

Gilbert ist es auch, der uns am frühen Morgen leise zuraunt: »Ich weiß, du wolltest laufen, dich bewegen, ein bisschen Sport treiben, das soll auch endlich losgehen. Aber heute nicht, irgendwie ist nicht so richtig der Tag, und man soll ja auch nicht übertreiben und das Ganze zu wild angehen – nächste Woche, Alter.«

Gilbert sagt auch: »Ach, komm, die Bahn kriegst du nicht mehr. Laufen? Nee, das lass mal, das ist nur anstrengend, nehmen wir die nächste.«

Und Gilbert steht auch an der Essensausgabe in der Kantine neben uns, unsichtbar, leicht übergewichtig, unrasiert, mit fettigen Haaren

und richtig schöner Wampe und sagt: »Salat essen ist freudlos, aber die Haxe hier mit Rotkohl und Pommes, das ist es heute, das brauchst du, tu dir auch mal was Gutes.«

GILBERT FLÜSTERT, GILBERT RÄT, GILBERT RAUNT, GILBERT IST VERDAMMT GEFÄHRLICH.

Schon am Nachmittag ist er derjenige, der uns dazu bringt, die Schwarzwälder Kirschtorte zum verdienten Kaffee in der Pause zu nehmen und nicht nur einen Keks oder einfach mal gar nichts. Und Gilbert ist auch derjenige, der, »vergisst«, sich einen Apfel mitzunehmen aus der Kantine für den Nachmittag, wenn der kleine Hunger zwischendurch kommt.

AM ABEND DANN ÜBERNIMMT GILBERT GELEGENTLICH FAST GANZ DIE MACHT ÜBER UNS.

Denn er ist es, der sagt: »Ach, das war so ein stressiger Tag, lass uns heute mal ein Bierchen trinken oder ein Gläschen Wein.«
Tja, aber dabei bleibt es meist nicht. Gilbert bringt uns dazu, noch ein Bier aufzumachen und dann vielleicht noch einen kleinen Kurzen hinterher. Denn – hey – auf einem Bein kann man nicht stehen. Schließlich ist Gilbert zufrieden – und wir leicht bräsig. Man schläft dann einigermaßen sediert ein, um dann nachts um drei aufzuwachen und sich zu sagen, äh, wieso schlafe ich so schlecht und warum jodelt mir die Birne?
Gilbert schweigt dann, seine Aufgabe ist erledigt. Diese Aufgabe ist es, all das, was uns schadet, nicht guttut, aber dennoch angenehm ist und Spaß macht – einen trinken, morgens liegen bleiben, zu viel fressen –, also all das durchzusetzen gegen den kernigen, rationalen, gesunden, der Körperertüchtigung zugeneigten Teil unseres Ichs.

DIESEN TEIL, ICH MÖCHTE IHN DIETMAR NENNEN – BRAUCHEN WIR ALTEN SÄCKE DRINGEND.

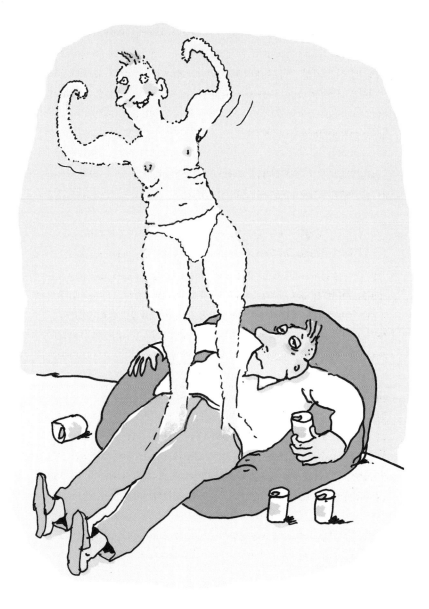

UND WIR MÜSSEN DEN DIETMAR IN UNS STÄRKEN.

Denn der Verfall kommt. Wir können ihn verzögern und verdammt lange fit bleiben und auch lange einigermaßen okay aussehen, wenn wir Gilbert im Griff behalten. Er muss ja nicht ganz verschwinden, er kann bei uns sitzen. Gelegentlich, freitags, sonnabends können wir ein Bier mit ihm nehmen, Currywurst mit Fritten essen, und er kann auch mal in der Woche gewinnen und ein halbes Stück Schwarzwälder kriegen. Aber wir sollten versuchen, ihn im Zaum zu halten, was zugegeben ziemlich schwer ist.

ABER WIE KRIEGEN WIR DAS JETZT HIN?

Ohnehin merken wir im Frühherbst unseres Lebens, dass die großen Kicks irgendwie nicht mehr kommen. Und dann sollen wir uns auch noch das Bier verkneifen? Nun — wie so häufig im Leben gilt es, einen Kompromiss zu finden.

WENN WIR GILBERT IN JEDER WEISE NACHGEBEN, SIND WIR IM ARSCH.

Wenn wir Gilbert aber fesseln, knebeln und im Keller wegsperren, werden wir irgendwann depressiv und lustlos und auch ein bisschen langweilig, denn Gilbert gehört zu uns, und er muss ja auch da sein. Aber er darf nicht der King werden — jener fette, unrasierte, rülpsende Zeitgenosse, der das Sinnliche, Vergnügungssüchtige in uns bedient.

MEIN VORSCHLAG: AKZEPTIEREN SIE ERST MAL GRUNDSÄTZLICH DEN GILBERT IN SICH UND MACHEN SIE EINEN DEAL MIT IHM.

Du kriegst ab und an dein Bier und dein Stück Sachertorte, du kannst auch mal eine Stunde auf dem Sofa liegen, aber dafür wird regelmäßig gejoggt, der Fernseher auch mal ausgelassen und die Treppe statt des Fahrstuhls genommen. Wir müssen Gilbert integrieren. Im Grunde müssen wir so mit ihm umgehen, wie einst mit unseren Kindern, als sie noch klein waren – wir müssen ihm liebevoll, aber dennoch mit Festigkeit und Konsequenz den richtigen Weg weisen. Amen.

Reiznoppen und Flutschi-Simulator

WIE DER KATALOG EINES EROTIK-
ANBIETERS DEM GESETZTEN HERRN
AUCH OHNE AKTIVEN SEX HELFEN KANN

Man erwartet von uns älteren Herren ja, dass wir auch die Kunst der souveränen Unterhaltung beherrschen. Smalltalk, pfiffige Wortbeiträge. So was wird im Alter immer wichtiger. Man sitzt halt häufiger zusammen und redet, statt zu tanzen oder sich in überlauten Discos lediglich Sprachfetzen (»Noch Biäää«?) ins Ohr zu brüllen. Ein Dauerbrennerthema ist Sex. Unter Männern, aber durchaus auch in gemischten Runden, sofern ein gewisses Niveau nicht unterschritten wird.

Aber womit kann der Best-Ager noch im Gespräch unter Freunden punkten?

WOMIT EINE LUSTIGE, TEILALKOHOLISIERTE ESSENSRUNDE UNTERHALTEN?

Mit schlüpfrigen Witzen? Kann man machen. Aber ich habe da noch was viel Besseres. Man muss etwas Pittoreskes kommentieren. Ich rede von Katalogen von Erotikanbietern. Also, ich weiß auch nicht mehr, woher ich den hatte. Der ist schon etwas älter. Ich glaube, ich habe ihn beim Aufräumen gefunden. Hat wohl mal jemand bei mir vergessen. Nun ja, aber eben dieser Erotikkatalog hat mich doch sehr beschäftigt. Gar nicht mal so sehr wegen der dort abgebildeten Produkte und Magazine, nein, es war wegen der einzigartigen bizarren Sprache dieser Publikation, die mir als studiertem Sprachwissenschaftler bisher völlig unbekannt war. Aber seitdem erzähle ich gern und erfolgreich von diesem Katalog, die ich wie folgt einleite:

»DORT, WO ROTLICHT GLÜHT UND DILDOS LOCKEN, IST DIE DEUTSCHE SPRACHE ZU FREMDARTIGER PRACHT HERANGEREIFT. SOLL ICH EUCH DAVON ERZÄHLEN?«

»Jaaaaa«, rufen sie dann, legen das Besteck zur Seite, und dann lege ich los. Versuchen Sie es einmal und prägen Sie sich die folgenden Zeilen ein — vorausgesetzt, es sind nicht allzu zart besaitete, katholisch erzogene Menschen am Tisch. Denn tatsächlich: In Sexshops und Bestellkatalogen der Erotikbranche ist das deutsche Idiom praller, bildergewaltiger und vor allem (unfreiwillig) komischer, als in jedem Kabarett oder Volkstheater. Dabei geht es bei Beate Uhse und Co. noch nicht mal explizit dreckig zu. Direkt Versautes ist auf den bunten Packungen mit den meist fleischfarbenen Inhalten selten zu lesen. Die äußerst kreativen Pornopoeten versuchen vielmehr mit putzigen Superlativen und filigranen

Metaphern den offenkundig traurigen Anblick der zahllosen Penisde-
rivate und Frauentorsi zu überdecken. So soll wahrscheinlich ein
Hauch der verbalen Pracht auf das äußerlich meist wenig anspre-
chende Produkt fallen. Das Ergebnis ist zum Brüllen komisch.

**VIELVERSPRECHEND KLINGT ZUM BEISPIEL DER
»PRICKELPETER«, EIN »SEHR SCHLANKER, EXTREM
GERIFFELTER LATEXLUSTSTAB MIT SOFTEICHEL«.**

Seine »unbeschreiblichen Klitorisreize« würden, so droht der Herstel-
ler hemdsärmelig, »durch vier zarte Zupackzacken« erreicht.
In jede Handtasche passt der »Minirüttler«. Der sei klein, »aber oho«.
Immerhin verfüge der Minivibrator über einen »leisen, aber kraftvol-
len Motor« und sorge für »wonnige Ekstaseschauer«. Erleichtert ist
der Kunde, dass der »Ich-bin-ich-Vibrator« »eine realistische Äderung«
vorweist und »griffig wie ein Echter« sei. Das Modell »Ekstase« hingegen kommt eher dezent mit »einem schlanken Schaft« daher und
ermöglicht mit seinen »stufenlos regelbaren Verwöhnvibrationen
tiefe Prickelekstasen«.

**SCHLÜPFRIG WIRD DER POMPÖSE »FLUTSCHI-SIMULATOR«
BEWORBEN. SEINE »WEICHE GENUSSEICHEL UND SEIN
WELLENFÖRMIGER SCHAFT« GARANTIEREN »GLATTES
GLEITEN«.**

Schließlich werde hier »extra flutschfreudiges Softmaterial« verwandt. Ein wenig Arbeit erfordert »Herkules«. Dieser Vibrator muss
nach dem Einführen »per Pneupumpe (im Hoden) auf den gewünsch-

ten Umfang« gepumpt werden. Die Beschreibung des »Vibro-Kitzler-Schnäblers« klingt ein wenig unheimlich. Da dreht und windet sich irgendetwas »tief rein«, »Massage-Perlen pulsieren im Schaft« und »der Schnäbler« schlussendlich soll sich zu allem Unglück auch noch über die Klitoris hermachen. Offensichtlich ein Modell für Fortgeschrittene. Wenig vertrauenerweckend klingt auch der »Analschlegel«. 31 Zentimeter misst das »starke Stück«.

KEINE FRAGE: DIE PIMMELPARADEN IN KATALOGEN UND SEXSHOPREGALEN ZEICHNEN SICH DURCH BEEINDRUCKENDE VIELFALT UND KNIFFLIGE EXTRAS AUS.

Sie sollen wohl vor allem Frauen zum Kauf animieren. Ob die sich von solch zotiger Lyrik und gigantischen Latexlümmeln wirklich angesprochen fühlen, sei mal dahingestellt.

Doch auch dem rolligen Manne soll geholfen werden. Der »Lustschlund« etwa verheißt ein »supergeiles Feeling« und die »Rubbelhöhle« verfügt – damit da gar keine Zweifel aufkommen – selbstverständlich über »zwei Eingänge«. Dank »Reiznoppen« im Innern, so versichert der Anbieter, sorge auch die »Ekstasemuschi« für »feurigste Intimmassagen«, schließlich handele es sich hier um eine wahrhaft »stramme Lustgrotte für Kenner«. Die schätzen womöglich auch den »Robo-Suck«. Das orale Lustgerät ist laut Beschreibung mit einem »kräftigen Saugmotor« ausgestattet.

Beeindruckend auch das reichhaltige Sortiment an Hilfsmitteln.

DIE EIGENE »LUSTLANZE« SCHEINT VIELEN MÄNNER DOCH EHER WIE EIN KRUMMDOLCH VORZUKOMMEN.

Vergrößerung tut not. Der »Potenztrainer« etwa sorgt mithilfe seines »sensationellen Vakuum-Vibrationszylinders für maximale Gliedstärke und noch stärkere Penis-Sexkraft«. Ja, durch Unterdruck könne sich das Glied sogar »energisch ausdehnen und verlängern«.

In jedem Sexkatalog werden diverse solcher Pumpen, Röhren und Erektionszylinder angeboten. Doch nicht jeder mag sich eine Erektionshilfe in Frisierhaubengröße übers Glied stülpen. Mancher greift lieber zu »Dauer-Bumser-Dragees«, »Ständertropfen« oder »Hengst«,

dem vitaminreichen Liebestrunk, um nach erfolgreich absolvierter Steifeprüfung dann endlich zur Sache zu kommen – vorausgesetzt, die Partnerin ist inzwischen nicht längst eingenickt.

Die grüne Cordhose

Es gibt ja diesen großartigen Witz, und der geht so:
Kommt ein Mann vom Arzt, und die Frau fragt: »Na, was sagt der
Doktor?«
»Ach«, sagt der Mann. »Soweit alles okay, aber er möchte von mir
noch eine Stuhl-, eine Urin- und eine Spermaprobe.«
Sagt die Frau: »Na, dann gib ihm doch einfach deine grüne
Cordhose.«

Dieser Witz – Sie kennen ihn womöglich, mussten aber hoffentlich
trotzdem noch mal drüber lachen – ist ein Klassiker. Aber er funktioniert vor allem wegen eines Elementes so gut – wegen der Cordhose.
Nur allein Hose wäre lau. Nein, es muss hier die Cordhose sein. Die
grüne. Wegen dieser hat man den Mann in dem Witz sofort vor
Augen – einen Mittfünfziger, nennen wir ihn Harry, der nur vier
Hosen hat: eine Jeans, eine Bundfaltenhose, die schwarze vom
Anzug und eben die grüne Cordhose, die er nur allzu gern trägt, die
nicht richtig sitzt und auch nicht mehr so ganz sauber ist. Wir alle

kennen Leute wie Harry, klar: Sie, liebe Leser, und ich – wir sind nicht wie Harry. Aber der deutsche Mann ganz allgemein, sozusagen der Klischeemann, hat natürlich ein bisschen was von Harry. Oder – anders formuliert – sind wir nicht alle ein bisschen »Grüne Cordhose«?

GANZ ALLGEMEIN HABEN WIR MÄNNER JA HÄUFIG NICHT DAS BESTE VERHÄLTNIS ZUR MODE.

Oft fehlt uns die Fantasie. Wir bleiben beim Bewährten, entwickeln uns modisch nur sehr träge oder gar nicht weiter. Sie leugnen? Okay – ein kleiner Test: Nennen Sie mir Ihre Kragenweite und den Namen von drei angesagten Herrendesignern? Tja, da wird nicht jeder punkten. Hätte ich nach den neuesten Namen der Oberklasseautos von BMW, Mercedes und Ford gefragt, wäre die Trefferquote sicher eine Terz höher gewesen. Geben wir es doch zu: Männer und Mode – das ist eine schwierige, angespannte Beziehung. Und die wird nicht besser, wenn wir die fünfzig überschritten haben.

VIELE VON UNS – SONST DURCHAUS SELBSTBEWUSSTE TOPCHECKER UND ALPHATIERE – GEHEN NUR MIT IHRER PARTNERIN »SACHEN« EINKAUFEN.

Ich auch. Denn immer wenn ich allein los war, gab es zu Hause Stirnrunzeln, Gelächter und Kritik. Oft hatte mir eine Verkäuferin Sachen aufgeschwatzt. Fast wie in diesen großartigen Loriot-Sketchen (»Wenn Sie da mal reinschlüpfen wollen, junger Mann« »Das trägt man jetzt so«). Dabei sieht es vordergründig doch so aus, als ob wir

Männer es in Sachen Mode einfacher hätten als die Frauen. Das Angebot ist viel kleiner. Im Job reicht den meisten der obligatorische Anzug, ansonsten die Joggingkombi und was »Legeres aus dem Kaufhaus«. Fertig ist die Laube. Mitnichten. Man kann so viel falsch machen. Da wären: Die Sachen sitzen nicht, die Farben beißen sich, die Stoffe sind Mist, die Schnitte out, die Hosen zu kurz, die Kombinationen ein Unding.

WENN MANN NICHT AUFPASST, KANN MAN SO WAS VON SCHEISSE AUSSEHEN.

Und wie gesagt: Im Alter wird das immer schlimmer. Denn plötzlich, mit über fünfzig, heißt es auf einmal: »Das trägt man in deinem Alter nicht mehr.« Die sicheren Bänke von früher sind auf einmal vermintes Gelände: Jeans oder Sweatshirts, zum Beispiel. Lederjacken, coole Blousons. Man reißt uns die Prospekte von »Young Fashion Shops« aus den Händen, als ob wir Pornos hätten anglotzen wollen. Man verbietet uns Cowboystiefel und T-Shirts mit lustigen Aufdrucken (vorn: »Ich bin schizophren«. Hinten: »Ich auch«), damit wir uns »nicht lächerlich machen«.

ES IST SCHWER, MÄNNER.

Wir müssen hier mehr Selbstbewusstsein entwickeln, dazu lernen, verloren geglaubtes Terrain zurückerobern. Wer sagt denn, dass wir keine Jeans mehr tragen sollten? Wer sagt, dass wir öde Anzüge tragen müssen, die das Sackartige unserer Figuren noch betonen?

LASST UNS MEHR WAGEN. WAS NEUES PROBIEREN.

Lasst uns ruhig Rat von unseren Frauen annehmen. Aber am Ende sollten wir uns wohlfühlen in unseren Klamotten. Aber nicht nur. Sonst droht der Jogginganzug. Nein! Kleider machen Leute. Es hebt auch das Selbstbewusstsein, schicke Sachen zu tragen. Lasst uns also mal einen Euro mehr ausgeben für einen coolen Mantel, einen gut geschnittenen Anzug, ein schönes, passendes Hemd und gute Schuhe.

SCHUHE SIND BESONDERS WICHTIG.

Da gucken die Damen als Erstes drauf, wenn sie einen Herren »kleidertechnisch« analysieren. Ungeputzte, abgelatschte Schluffen sind wie ein Schild mit der Aufschrift »Ich bin so was von daneben und habe auch dreckige Füße«.
Also: Wir müssen mit klassischem Schick überzeugen. Lasst uns Adieu sagen zu weißen Tennissocken, der grünen Cordhose, dem Holzfällerhemd. Und lasst uns »Bonjour« sagen zum angemessen lässigen »Casual-Look«.

Poker-runden

ZOCKEN UND RITUALE

Ich habe ja in diesem Buch schon häufiger das Pokern erwähnt bzw. meine Pokerrunden. Ja, ich habe mehrere, und ich möchte keine von ihnen missen. Pokern ist ja sozusagen eine Trendsportart geworden, nicht nur in Deutschland, es gibt Weltmeisterschaften und Promipokern, selbst der unsägliche Boris Becker pokert. Aber von diesem halbprofessionellen Pokern rede ich nicht.

UM DAS GELDGEWINNEN GEHT ES MIR UND MEINEN KUMPELS NICHT, SONDERN UM EINE GANZ SPEZIELLE RITUALISIERTE FORM DES ZUSAMMENSEINS.

Ich bin Mitglied in insgesamt drei Pokerrunden. Die eine besteht schon seit ungefähr zwanzig Jahren. Es ist die bei meinem Freund Jan. Dort treffen sich die ehemaligen Mitglieder unserer legendären Band *The Sadoboys* plus deren Unterstützer und Freunde. Und dann gibt es noch zwei Runden, die in eher unregelmäßigen Zeitabständen stattfinden, mit Arbeitskollegen und Freunden. In allen drei

Gruppen spielen wir die Variante »Texas Hold'em«, und – das ist mir wichtig zu sagen – es geht nie um viel Geld. Aber es muss ein bisschen um Geld gehen. Wenn man richtig schlecht spielt, verliert man vielleicht zehn oder zwanzig Euro an einem Abend.

(Oops! Während ich das hier schreibe, fällt mir gerade auf, pokern um Geld ist ja verbotenes Glücksspiel. Ich korrigiere also, was ich gerade gesagt habe.) In diesen Runden spielen wir nur um Chips und nicht um Geld. Ja? Nur, damit das klar ist. Man kann theoretisch die Chips natürlich hinterher in Geld eintauschen, was man vorher eingezahlt hat, in eine gemeinsame Kasse, aber das ist nicht erlaubt und deshalb machen wir das auch nicht.

Also, wo war ich? Pokern ist ja ein Glücksspiel, aber in gewisser Weise auch ein Strategiespiel. Man braucht Menschenkenntnis, muss sich konzentrieren, Wahrscheinlichkeiten ausrechnen. Aber darum geht es mir hier eigentlich gar nicht.

WAS SPASS MACHT, IST, MIT ANDEREN ALTEN SÄCKEN ZUSAMMENZUSITZEN, EIN BIER ZU TRINKEN, SPRÜCHE ZU KLOPFEN UND SICH AN DIESEN ABENDEN IM GRUNDE WIEDER SO WIE FRÜHER ZU FÜHLEN.

Das wird mir besonders klar bei der Runde bei Jan, die, wie gesagt, schon seit zwanzig Jahren pokert, alle vierzehn Tage. Ich bin nicht jedes Mal dabei, aber immer wieder, wenn ich hingehe, dann ist es, als wenn die Zeit stehengeblieben wäre. Wir sitzen bei Jan, und Buddy, Ulf, der Perser, Ducken und ich sind wieder zwanzig, spielen in einer Band und haben das Leben noch vor uns. Ja, das klingt jetzt sentimental, das weiß ich, aber genau das schätze ich so, das Unverstellte, beinahe konservativ Natürliche dieser Runden. Hier bin ich Mensch, hier darf ich's sein.

UND NATÜRLICH GIBT ES HIER AUCH SCHÖNE RITUALE.

Zum Beispiel eine genaue Rollenaufteilung zwischen Quatschköpfen, Phlegmatikern, Kaffeekochern, Zu-spät-Kommern, Zu-selten-Kommern und ähnlichen Geschichten.

Vor allem aber verbinden uns, obwohl wir uns ansonsten selten sehen, an diesem Abend die gemeinsamen dreißig Jahre, die wir uns kennen und, zumindest in unserer Jugend, doch sehr intensiv gemeinsam verbracht haben. Ständig Anspielungen an früher, Witze, Sprüche; der ganze Abend ist von einer sentimentalen »Weißt-du-noch-damals?«-Stimmung durchtränkt, und das brauchen wir alten Säcke zwischendurch mal.

WIR SIND ALLE IN UNSEREN JOBS ZWÄNGEN UND EINEM ZU KLEINEN ZEITBUDGET FÜR PRIVATES AUSGELIEFERT UND MÜSSEN DARAUF ACHTEN, DASS DER QUATSCHKOPF, DER ALBERNE KERL IN UNS, NICHT ZU KURZ KOMMT.

Und das kann man sehr gut — vielleicht sogar am besten — mit alten Kumpels von früher. Vielleicht muss man sie nicht jeden Tag oder jede Woche beziehungsweise jedes Wochenende sehen, so wie früher, aber wenn man da war, hat man immer eine Menge Spaß gehabt.

Deshalb mein Rat: Suchen Sie sich eine Pokerrunde, gründen Sie eine, fragen Sie Ihre alten Kumpels, ob sie nicht Lust haben — und dann »good luck«!

Let there be Rock

WAS WIR VON DEN STONES UND

ANDEREN OLDIES LERNEN KÖNNEN

Okay, mir ist das auch mal rausgerutscht. Kaum wurde die (gefühlte) fünfhundertste Tour der Rolling Stones angekündigt, da sagte ich: »Na, die müssten jetzt echt mal aufhören mit der Rocknummer, die alten Säcke.«
Aber warum eigentlich?
Ist doch totaler Quatsch!

**LASST DIE JUNGS DOCH SPIELEN,
BIS SIE TOT VON DER BÜHNE FALLEN.**

Wer sagt denn, wann Schluss ist? Wann jemand aufhören soll, Musik zu machen? Aktiv zu sein?
Solange Leute (wie wir alten Säcke) die Jungs spielen sehen wollen, ist doch alles in Butter. Und wir sollten das weiterwollen.
Die »Bigger Bang«-Tour war klasse. Beim Hamburger Konzert gab es

198

glückliche Gesichter. Neben mir saßen alles Leute über fünfzig, gingen begeistert mit und waren wieder jung. Oder besser: immer noch jung. So jung, wie man sich eben fühlt, wenn man die Musik seiner Jugend live hört, ohne dass es peinlich wirkt. Lasst sie doch spielen, die alten Recken. Spielen, so lange sie noch können.

So wollen wir es auch halten: Sport treiben, wild pimpern, die Nacht durchpokern, Motorrad fahren, Arschtritt-Feten veranstalten – niemand legt für uns fest, was geht und was nicht. Außer wir selbst.

Die Stones zeigen uns, dass es ein Leben jenseits von Altersklischees gibt. Man ist heute mit fünfzig eben kein Auslaufmodell mehr, das aus der werberelevanten Zielgruppe fällt. Gerade die Rockmusik symbolisiert die Macht der »neuen Alten«. Die Stones, Police, Genesis, Kiss, die Eagles, ZZTop, AC/DC – sie alle zeigen, wer auf den großen Bühnen der Welt immer noch mithalten kann – und sehr häufig sogar das Sagen hat.

ALSO, WIR SIND FÜNFZIG ODER SECHZIG ODER SIEBZIG – UND ROCKEN, BIS DER ARZT KOMMT.

WAS DAGEGEN?

Play it again

Je älter man wird, desto seltener geht man ja aus. Stattdessen gibt es diese gegenseitigen, rituellen Einladungen zum Abendessen oder auch, in der Lightversion, zum Kaffeetrinken. Das ist mit guten Freunden oft sehr nett. Gelegentlich aber geht einem bei solchen Abenden aber auch der Gesprächsstoff aus, und es wird ein bisschen quälend. Manchmal hat man ja eine Plaudertasche dabei, die dann mit ihren Geschichten den ganzen Abend rausreißt. Aber wenn nicht – boah, ist man da schnell müde.

Die Frage ist, was kann man machen, damit einem so ein Abend nicht entgleitet, also entweder langweilig oder langatmig oder sonst was wird. Ich habe da die ideale

Lösung: ein Spieleabend, verbunden mit einem kleinen, leichten Abendessen oder ein paar Schnittchen.

Jetzt werden wahrscheinlich rund achtzig Prozent der Leser zusammenbrechen und sagen, wie furchtbar, ein Spieleabend – Skat,

Rommé, Doppelkopf, »Mensch, ärgere dich nicht« – das ist ja wohl das Furchtbarste, was man sich vorstellen kann.

WIE ÖDE, WIE LANGWEILIG. ZUM BRECHEN.

Und ich gebe zu, mir geht es eigentlich genauso. Ich mag eigentlich keine Gesellschaftsspiele. So den ganzen Abend Karten kloppen oder »Monopoly« spielen ist eine Horrorvorstellung für mich. Ich werde dabei schnell müde, baue dann rapide ab und nicke am Tisch ein. Abgesehen natürlich von meinen Pokerrunden, für die ich – wie gesagt – eine besondere Schwäche habe.
Nein, ich meine hier eine spezielle Form des Actionspieleabends, die ich empfehlen will: Und dafür gibt es eigentlich nur zwei Spiele. Das hört sich jetzt hier wie Werbung an, und das soll es auch gerne sein. So ein Spiel für einen idealen Abend muss erst einmal kurz sein.

NICHTS IST ÄTZENDER ALS SPIELE, DIE ÜBER DREI, VIER STUNDEN GEHEN, UND BEI DENEN MAN DANN MIT UNGLAUBLICHEN STAPELN VON CHIPS, KARTEN, BAUKLÖTZEN UND SO WEITER DASITZT UND EINFACH NUR DENKT, WANN KANN ICH ENDLICH NACH HAUSE?

In der Kürze also liegt die Würze. Zweitens muss das Spiel lustig sein und darf vor allem keine langatmigen Erklärungen und das Durcharbeiten telefonbuchdicker Gebrauchsanweisungen voraussetzen.
Es ist jetzt gar nicht so einfach, da etwas zu finden. Da fällt schon mal ein guter Teil aller normalen Gesellschaftsspiele weg. Denn, ob die nun »Spiel des Jahres« oder weiß der Geier was sind – ehe man

das Ganze kapiert hat, vergeht einfach viel zu viel Zeit, und ich kriege davon schlechte Laune und kann dann auch irgendwann nicht mehr zuhören. Man muss sich die Situation ja so vorstellen, in der man spielen will:

MAN HAT VIELLEICHT SCHON ZWEI STUNDEN DA GESESSEN, EINE SCHÖNE LAMMHAXE WEGGEDÜBELT, SICH DAZU ZWEI, DREI GLÄSER ROTWEIN REINGESCHÜTTET, UND SITZT DA JETZT SO LEICHT SEDIERT HERUM UND WILL NUR NOCH ETWAS DEZENT SPASS HABEN.

So auf halber Betriebstemperatur. Und jetzt komme ich zu den beiden Spielen, die ich empfehlen möchte, sie heißen »Activity« und »Graffiti«.

Fange ich mal mit »Activity« an. Sagen wir mal, es sind acht Leute insgesamt anwesend. Es werden zwei Viererteams gebildet, die gegeneinander spielen. Von einem großen Stapel werden Karten gezogen, auf denen Begriffe oder Gegenstände genannt sind, die entweder gezeichnet, erzählt oder pantomimisch dargestellt werden müssen. Und die andere Gruppe muss versuchen, das Gezeichnete etc. zu erraten. Ich will jetzt hier nicht zu weit ins Detail gehen. Es hört sich vielleicht sogar ein bisschen beknackt an, ist aber ziemlich lustig. Man hat wirklich eine Menge zu lachen. Die Pantomimen sind besonders beliebt und auch gefürchtet, weil man sich da oft doch herrlich lächerlich machen kann, wenn man zum Beispiel »Nichtschwimmer« darstellen muss. Wir haben mit einer Gruppe von Freunden regelmäßige Spieleabende mit »Activity«. Ich kann das auch einigermaßen gut spielen, wenn ich nicht so auf dem Posten bin. Will sagen:

AUCH WENN ICH SCHON EINEN IM KAHN HABE, FÜR »ACTIVITY« REICHT ES IMMER NOCH.

Das zweite Spiel, das ich hier empfehlen will, heißt »Graffiti« und ist noch einfacher zu erklären. Da haben alle Mitspieler kleine Tafeln vor sich, auf denen sie zeichnen können. Das sind diese Ritsch-Ratsch-Tafeln, die man aus seiner Kindheit kennt, mit dieser Folie, auf der man malt, und wenn einem das nicht gefällt, zieht man sie einmal raus und schiebt sie wieder rein, und das Gezeichnete ist gelöscht. Okay, also einer geht dann raus, die Gruppe zieht von einem Stapel eine Karte, darauf steht ein Begriff, der von allen gezeichnet werden muss. Jeder malt und anschließend werden die Ergebnisse auf einen Haufen gelegt, dann wird der Wartende reingerufen und muss anhand der Zeichnungen den Begriff raten — sagen wir, Turmspringen, Zeppelin, Prostituierte oder was auch immer.

Das macht eine Menge Spaß. Ich zum Beispiel kann katastrophal schlecht zeichnen.

JEDER PSYCHOLOGE, DER VON MIR GEMALTES SÄHE, WÜRDE MICH SOFORT ZWANGSEINWEISEN LASSEN.

Anschließend muss der Ratende auch noch prämieren, welches die beste Zeichnung ist und dann die Zeichnung den jeweiligen Personen zuordnen. Ich habe »Graffiti« vor kurzem zum ersten Mal mit Freunden gespielt, und es war ein Riesenankommer. Brüllendes Gelächter, stehende Ovationen. Kreischende Gäste. Lange nicht so gelacht. Wirklich. Versuchen Sie's mal.

Falls wir mal sabbernd im Rollstuhl sitzen ...

EIN ERNSTES KAPITEL

Also, Männer, wir sind ja noch fit, und keiner denkt gern an so was. Aber wir müssen vorsorgen, für den Fall, dass wir irgendwann selber nicht mehr in der Lage sind zu entscheiden, was mit uns passieren soll. Ist doch ätzend, wenn man einen Schlaganfall hatte, und halbseitig gelähmt, ohne Bewusstsein und sabbernd und grunzend im Bett liegt und vorher nicht klargemacht hat, wie man in so einem Fall behandelt (oder nicht behandelt!) werden möchte. Oder man kriegt Alzheimer.

Da fällt mir ein guter Witz ein – nur mal so zwischendurch, um dieses ernste Kapitel aufzulockern. Fragt ein Säufer den anderen: »Was hättest du lieber: Parkinson oder Alzheimer?« Sagt der andere: »Alzheimer – lieber einen vergessen als einen verschütten.«

Den kann man bringen, oder?

So, zurück zur Ernsthaftigkeit.

ALSO ICH MEINE, WIR SOLLTEN NACH MÖGLICHKEIT ALLE SO VORSORGEN, DASS IM FALLE EINES FALLES NICHTS MIT UNS GESCHIEHT, WAS WIR NICHT WOLLEN.

Wenn wir uns nicht mehr klar äußern können, sollten Menschen unseres Vertrauens Entscheidungen für uns treffen. Ich war entsetzt, als mir ein Notar erzählte, er habe erlebt, dass Ärzte der Ehefrau eines Todkranken sagten, sie habe überhaupt nicht mitzureden, ob Apparate abgeschaltet oder eine Magensonde entfernt würde – es lägen keine Dokumente vor, die sie zu solchen Entscheidungen autorisierten. Ein Vormund vom Amt entschied dann über den Kopf der Frau hinweg mit den Ärzten, was gemacht wurde, obwohl der Mann der betroffenen Frau gegenüber immer klar geäußert hatte, dass er keine sinnlosen, sein Leiden nur verlängernden Maßnahmen wolle, falls es ihn mal erwische.

WIE KANN MAN DAS VERHINDERN?

Ganz einfach, indem man zu einem Notar geht und dort eine Vorsorgevollmacht unterzeichnet, in der man klar regelt, wer einen bei fehlender Handlungs- oder Entscheidungsfreiheit vertritt. Das kann sich auf finanzielle Dinge oder die medizinische Behandlung beziehen. Wichtig ist, dass man das rechtzeitig macht, wenn es einem gutgeht. Bloß keine Scheu, auch mal an was Fieses zu denken. Die meisten wollen sich mit so was nicht auseinandersetzen, lassen es schleifen, und später dürfen dann Dr. Mabuse oder die fiese Oberschwester Hildegard entscheiden, ob der Darm gespült oder die Herz-Lungen-Maschine abgeschaltet wird.

BEACH ROLLI BALL

Und wenn Sie schon mal beim Notar sind: Ein vernünftiges, gültiges und unanfechtbares Testament können Sie dort ebenfalls formulieren und hinterlegen. Formulierungen wie »Atze soll meine CDs kriegen und die Kinder die Bude« sind nicht immer ratsam. Auch eine Patientenverfügung, die bestimmte Eingriffe gegen Ihren Willen ausschließt, halte ich für sinnvoll.

DA SICH HIER VONSEITEN DES GESETZGEBERS EINIGES TUT, RATE ICH IHNEN, DEN AKTUELLEN STAND MIT EINEM NOTAR ABZUKLÄREN.

Ich mach das alles nächste Woche. Dann kann ich ruhiger schlafen und weiß, dass kein Arzt mich gegen meinen Willen zum Auswuchten oder einer Sacktransplantation verdonnern kann.

Werden Sie
Gartenteichbesitzer

AM WASSER BAUEN

Das richtige Zur-Ruhe-Kommen, Entspannungfinden und Ausgeglichensein ist ein Thema, das uns durch dieses ganze Buch begleitet hat. Man soll ja immer das empfehlen, womit man am besten selber Erfahrung hat. Etwas, das man gut kennt und schon mal selber durchgezogen hat. Siehe dazu auch das Kapitel »Du musst einfach mehr chillen«, in dem ich die Themen Meditation, autogenes Training, Progressive Muskelentspannung etc. schon ausführlich dargelegt habe.

JETZT MÖCHTE ICH MAL NOCH PRAGMATISCHER WERDEN UND IHNEN ZU EINEM GARTENTEICH RATEN.

Das hört sich erst mal vollkommen bescheuert und superspießig an, daher will ich es begründen. Wir alten Säcke — hektisch, unausgeglichen, hadernd — brauchen etwas, das uns, wie die jungen Leute heute sagen, chillt. Wenn Sie nun also in der glücklichen Lage sind, einen Garten zu haben oder ein eigenes Grundstück — was ja mit fünfzig Jahren nicht unbedingt selten ist – also dann kann ich Ihnen nur dringend zu einem Gartenteich raten.

(Ich habe dieses Kapitel – wie einige andere – vorher auf Band gesprochen, um eine Reportage-Stimmung zu erzeugen und werde das Kapitel jetzt sozusagen live mit Ihnen am Gartenteich gemeinsam schreiben.)

Ich stehe jetzt an meinen zwei kleinen Teichen und gucke. Ich bin nackt. Nein, kleiner Scherz. Ich trage meine alten Garten-Klamotten. Es ist Ende September. Das Wasser ist heute glasklar – im Sommer gibt es manchmal ein bisschen viele Algen. Ich sehe die wunderschönen, feingliedrigen Unterwasserpflanzen, ich sehe Stichlinge, wie sie durchs Wasser ziehen. Ein kleiner Wasserfall plätschert von Steinen herab.

Den habe ich seinerzeit mit einigen Steinen, Sand, einer kleinen Pumpe und einem Schlauch erschaffen.

ICH HABE WIRKLICH NICHT VIEL AHNUNG VON TECHNISCHEN DINGEN UND VERFÜGE BEDAUERLICHERWEISE ÜBER ZWEI LINKE HÄNDE, ABER DAS MIT DEM TEICH, DAS HABE ICH EIGENTLICH GANZ GUT HINGEKRIEGT.

Es ist, wenn man ein paar grundsätzliche Dinge beachtet, auch gar nicht so schwer. Aber darüber können Sie sich in der Sekundärliteratur informieren.

Ich will jetzt lieber mal erklären, warum das alles so großartig ist. Wasser hat auf mich – und ich glaube auch auf Sie – eine beruhigende Wirkung. Gerade, wenn es noch bewegt wird und plätschert. Hach, ein kleiner Brunnen, ein kleiner Wasserlauf. Großartig.

DAS CHILLT, EY!

Man kann stundenlang davorsitzen und
beobachten, was da am Teich stattfin-
det. Man kann Frösche sehen, Molche
und Rückenschwimmer – das sind
kleine, räuberische Insekten, die
schwimmen mit dem Rücken nach
oben durchs Wasser und jagen andere Insekten.

Man kann Stichlinge beobachten, die Brutpflege betreiben.
So ein Teich ist außerdem ein ganz eigenes kleines Universum von
erhabener Stille, in dem man den Kampf ums Dasein beobachten
kann. Man kann sehen, wie sich Libellen entwickeln, als Larven im
Teich herumschwimmen und Kaulquappen jagen, anschließend auf
Schilfhalme klettern und sich von der Sonne trocknen lassen. Dann
bricht die Larve auf, und eine Libelle kommt herausgeflogen. Großartige Metamorphose.

**ICH KANN STUNDENLANG DA SITZEN UND
DAS GANZE TREIBEN BEOBACHTEN UND KOMME
INNERLICH ZUR RUHE.**

Klar, man hat natürlich auch eine Menge zu arbeiten. Man muss
Pflanzen beschneiden, Algen rausholen, Wasser nachfüllen, all diese
putzigen Sachen. Aber das ist eine Form von Arbeit, die ich sehr entspannend finde und die ich gerade auch alten Säcken empfehlen
kann – wenn sie ein bisschen auf ihren wahrscheinlich empfindli-
chen Rücken achten.

Ich habe mich in meinen beiden Gartenteichen zudem auf die Zucht von Molchen verlegt. Entzückend. Die findet man überall in anderen Teichen. In der Wildnis könnte man sie sich – sofern man das dürfte – räusper, räusper – rausfangen. Molche, sie sehen etwa aus wie Eidechsen, sind ganz wunderbar. Die balzen im Frühjahr. Die Männchen sind farbenprächtig, die Weibchen eher ein wenig farblos. Ganz anders als bei uns Menschen. Molche haben ganz komplizierte Balz- und Werberituale und legen dann an die Unterseite von Pflanzen ihre Eier. Man kann im Laufe der Zeit sehen, wie aus diesen Eiern kleine Kaulquappen heranwachsen, Molchquappen sozusagen, die dann immer größer werden und später, irgendwann im Frühherbst, als Kleinmolche diesen Teich verlassen.

OKAY, DAS HÖRT SICH IN IHREN OHREN VIELLEICHT BESCHEUERT AN, KÖNNTE ABER IHR LEBEN ECHT BEREICHERN.

Machen Sie den Test. Besuchen Sie jemanden, der einen Teich hat und chillen Sie dort ein wenig. Sie werden sehen: Eine tiefe Ruhe überkommt Sie. Sie werden eins mit dem Wasser – und irgendwann zum Molch.

»Jetzt kommen sie schon zum Sterben her«

ALS ALTER SACK AUF PISTE

»Man ist so alt, wie man sich fühlt.« Guter Spruch. Ist auch was dran. Und trotzdem ist er nicht für jede Situation im Leben eines alten Sacks anwendbar. Man sollte sich schon überlegen, wo man mit fünfzig plus noch hingeht.

»ANGESAGTE LÄDEN«, DISCOS ODER BEACHCLUBS SIND KEINE ORTE MEHR FÜR UNS.

Alle denken, wir wollen unsere Töchter abholen. Und wenn wir dann dort – wie früher – leicht wippend mit einem Drink in der Hand an der Bar lehnen und gucken, wie die jungen Hühner hotten, dann ist das unter Umständen ... nun ja ... eher ein wenig traurig.
Muss nicht sein.
Es gehört zum Älterwerden, dass wir wissen, wo unsere Plätze sind:

gute Restaurants, das Theater, gehobene Kinos, Wellnesscenter, Hotels, Sehenswürdigkeiten – nicht aber die Orte der gelebten, bebenden Jugendkultur.

DIETER BOHLEN MACHT DAS, OKAY. WIR SOLLTEN DAS NICHT TUN.

Was?

Das finden Sie spießig?

Das wollen Sie nicht hören?

Und wer das überhaupt sage?

Na ja, ich sage das ja nur, weil ich Sie vor Peinlichkeiten bewahren will. Ich war mal mit einem Kollegen bei einem Konzert der Band No Doubt, weil wir beide deren Sängerin Gwen Stefani so toll fanden. Wir bekamen Freikarten und gingen hin. Die Fans waren im Schnitt dreizehn Jahre alt und kreischten dauernd. Ein paar Leute in unserem Alter waren auch da – mit ihren Kindern. Als die mitbekamen, dass wir keine Kids dabeihatten, fingen sie an, komisch zu gucken. Peter und ich sind dann in der Pause gegangen. Mann, war das peinlich.

OB DIESE ÜBERALL PLAKATIERTEN »ÜBER 30, 40 ETC. PARTYS« EINE ALTERNATIVE SIND, MÜSSEN SIE SELBER ENTSCHEIDEN.

Ich würde da nie hingehen. Da kann man sich ja gleich einen Aufkleber »Overworked and underfucked« auf die Stirn ballern.

Eigentlich können wir uns doch ganz gut woanders austoben. Die

Helden unserer Jugend spielen ja immer wieder mal live: Police, die Stones, Deep Purple, Genesis, Kiss. Dauernd gibt es neue Wiedervereinigungen, Revival-Konzerte, Auferstehungen – die Konzertbranche ist unsere Branche.

OPEN AIR ODER IN DEN GROSSEN HALLEN BEI DEN ALTEN RECKEN AB HUNDERT EURO AUFWÄRTS SIND WIR PRAKTISCH UNTER UNS, UND KEINER GUCKT BLÖD.

Ich will hier nur so sitzen

Dranbleiben! Fit bleiben! Was machen! Aktiv sein! Sport treiben! Was unternehmen!

Nur nicht hängen lassen!

Bin ich auch für!

Ist wichtig, das! (Siehe auch das Kapitel »Ich bin quasi ein Modo«.)

ABER MAL MUSS DANN AUCH GUT SEIN MIT DER GANZEN ACTION.

Ich möchte hier ein Plädoyer halten für unser Recht auf Gemütlichkeit. Wir sind über fuffzig und müssen auch mal unsere Ruhe haben. Abende auf dem Sofa abhängen. In Ruhe Actionfilme gucken. Alte Rockplatten hören. Nix tun. Das muss sein. Das steht uns zu. Wir haben immerhin schon was geleistet. Da darf man auch ruhig mal ein wenig müde sein. Ist keine Schande. Und noch kein Zeichen für Frühvergreisung. Man darf doch wohl noch mal die Batterien wieder aufladen. Das ist so was wie eine Wartung. Wie ein TÜV!

Es gibt ja diesen großartigen Loriotsketch, wo der Mann auf einem Stuhl sitzt und im Hintergrund dauernd seine Frau auf und ab läuft und ruft, er solle doch jetzt mal was tun, rausgehen, mal was machen. Und er antwortet: »Nein, ich will hier nur so sitzen!«

UND DAS IST ES: WIR WOLLEN AUCH MAL EINFACH »NUR SO SITZEN«.

Das können wir uns gönnen.
Lasst uns Männer ab und an einfach nur mal in Ruhe.
Nein, wir »haben« nichts. Nein, wir sind nicht sauer.
Nee, wir sind auch nicht krank.
Alles okay.
Wir wollen nur mal einfach so abhängen!
Chillen.
Für uns sein.
Nix machen.
Ganz in Ruhe verwesen, wie wir früher sagten.

WAS FÜR EIN SCHÖNES SCHLUSSWORT!

Vater werden –
eine ziemlich aufregende Sache

256 Seiten
ISBN 978-3-442-39048-9

128 Seiten
ISBN 978-3-442-39135-6

Überall, wo es Bücher gibt und **Mosaik bei GOLDMANN** unter www.mosaik-goldmann.de

Mehr von Kester Schlenz

128 Seiten
ISBN 978-3-442-39057-1

144 Seiten
ISBN 978-3-442-39100-4

Überall, wo es Bücher gibt und **Mosaik bei GOLDMANN** unter www.mosaik-goldmann.de